総合判例研究叢書

刑事訴訟法 (8)

免訴の裁判…………………………… 宮崎澄夫

有斐閣

序

フランスにおいて、自由法学の名とともに判例の研究が異常な発達を遂げているのは、その民法典が百五十余年の齢を重ねたからだといわれている。それに比較すると、わが国の諸法典は、まだ若い。最も古いものでも、六、七十年の年月を経たに過ぎない。しかし、わが国の諸法典は、いずれも、近代的法制を全く知らなかつたところに輸入されたものである。そのことを思えば、この六十年の間に極めて重要な判例の変遷があつたであろうことは、容易に想像がつく。事実、わが国の諸法典は、それに関連する判例の研究でこれを補充しなければ、その正確な意味を理解し得ないようになつている。

判例が法源であるかどうかの理論については、今日なお議論の余地があろう。しかし、実際問題として、多くの条項が判例によつてその具体的な意義を明かにされているばかりでなく、判例によつて特殊の制度が創造されている例も、決して少なくはない。判例研究の重要なことについては、何人も異議のないことであろう。

判例の創造した特殊の制度の内容を明かにするためにはもちろんのこと、判例によつて明かにされた条項の意義を探るためにも、判例の総合的な研究が必要である。同一の事項についてのすべての判決を探り、取り扱われた事実の微妙な差異に注意しながら、総合的・発展的に研究するのでなければ、判例の研究は、決して終局の目的を達することはできない。そしてそれには、時間をかけた克明な努力を必要とする。

幸なことには、わが国でも、十数年来、そうした研究の必要が感じられ、優れた成果も少なくないようになつた。いまや、この成果を集め、足らざるを補ない、欠けたるを充たし、全分野にわたる研究を完成すべき時期に際会している。

かようにして、われわれは、全国の学者を動員し、すでに優れた研究のできているものについては、その補訂を乞い、まだ研究の尽されていないものについては、新たに適任者にお願いして、ここに「総合判例研究叢書」を編むことにした。第一回に発表したものは、各法域に亘る重要な問題のうち、研究成果の比較的早くでき上ると予想されるものである。これに洩れた事項でさらに重要なもののあることは、われわれもよく知つている。やがて、第二回、第三回と編集を継続して、完全な総合判例法の完成を期するつもりである。ここに、編集に当つての所信を述べ、協力される諸学者に深甚の謝意を表するとともに、同学の士の援助を願う次第である。

昭和三十一年五月

編集代表
小野清一郎　宮沢俊義
末川　博　我妻　栄
中川善之助

凡　例

一　判例の重要なものについては、判旨、事実、上告論旨等を引用し、各件毎に一連番号を附した。

二　判例年月日、巻数、頁数等を示すには、おおむね左の略号を用いた。

大判大五・一一・八民録二二・二〇七七　（大審院判決録）

（大正五年十一月八日、大審院判決、大審院民事判決録二十二輯二〇七七頁）

大判大一四・四・二三刑集四・二六二　（大審院判例集）

最判昭二二・一二・一五刑集一・一・八〇　（最高裁判所判例集）

（昭和二十二年十二月十五日、最高裁判所判決、最高裁判所刑事判例集一巻一号八〇頁）

大判昭二・一二・六新聞二七九一・一五　（法律新聞）

大判昭三・九・二〇評論一八民法五七五　（法律評論）

大判昭四・五・二三裁判例三・刑法五五　（大審院裁判例）

福岡高判昭二六・一二・一四刑集四・一四・二一一四　（高等裁判所判例集）

大阪高判昭二八・七・四下級民集四・七・九七一　（下級裁判所民事裁判例集）

最判昭二八・二・二〇行政例集四・二・二三一　（行政事件裁判例集）

名古屋高判昭二五・五・八特一〇・七〇　（高等裁判所刑事判決特報）

東京高判昭三〇・一〇・二四東京高時報六・二・民二四九　（東京高等裁判所判決時報）

札幌高決昭二九・七・二三高裁特報一・二・七一（高等裁判所刑事裁判特報）
前橋地決昭三〇・六・三〇労民集六・四・三八九（労働関係民事裁判例集）

その他に、例えば次のような略語を用いた。
裁判所時報＝裁　時　　家庭裁判所月報＝家裁月報
判例時報＝判　時　　判例タイムズ＝判　タ

目次

免訴の裁判

宮崎澄夫

免訴の裁判

宮崎澄夫

はしがき

免訴判決については、周知のように、まずその本質について解決がまことに困難な問題があり、それに関連して、実体的審理の許否や範囲について不明な点がすこぶる多く、学者の見解も判例に表われた裁判官諸公の意見も複雑多岐を極めているのみならず、個々の免訴事由についても、調べれば調べる程疑問を生じ、しばしば暗礁に乗り上げたが、兎に角書き上げることを得た。自分として意に満たないところ、不十分と考えるところが多々あることは勿論、調査不十分のため不知不識の間に重要な判例を逸していることも少くないと思う。これらの点につき他日訂正補充の機会が得られれば幸である。

判例の引用にあたつては、つとめて原文中から重要と思われる箇所をそのまま取出すこととし、また判文自体から事案の要点が了解し得るものは別として、然らざるものについては、なるべく事案の説明を加え、了解に便ならしめようと努めたが、再読して見ると不十分なところも見られ、この点も読者諸子に御詫びしなければならない。また最高裁の判例については、少数意見の中に傾聴すべきものが少くないので努めてこれを紹介し、或る程度その検討にも志したが、そのためかなり多くの紙数を費したことについても御了解を得なければならない。

最後に、本稿を草するにあたり、同学の青柳文雄教授から種々有益な教示を得、またカードの整理その他につき慶応義塾大学通信教育部学生宮城雅子君の協力を得た。付記して深く謝意を表する。

なお、文中原則として『　』は要旨の引用に、「　」は原文そのままの引用に使用した。

一　免訴判決の本質

――実体的審理の許否・範囲・免訴判決に対する無罪主張――

一　学説の大要

（一）旧法時代における学説

大別して実体裁判説、形式裁判説及び折衷説があつた。

(1) 実体裁判説　旧法の下における多数説であるが、その理論的説明については学者の説くところは一様でない。例えば平沼博士（新刑事訴訟法要論昭和二年改定増補版）は、実体的公訴権なる概念によつて免訴判決を説明する。すなわち実体的公訴権は科刑権の確定を請求する権利であり、科刑権の発生に伴つて発生する実体上の権利であるが、この実体的公訴権が一旦発生した後消滅した場合に言渡す判決がすなわち免訴判決であり、実体的公訴権が始めから発生しない場合に言渡す判決が無罪判決であるとする（四二九―四三一頁、五五二―五五三頁）。これに対し、清水孝蔵氏（刑事訴訟法理論昭和一二年一二版）は、免訴判決をもつて有罪、無罪及び刑の免除の判決とともに実体裁判とし（二六九頁）、その理論としては、刑罰請求権＝犯罪によつて発生する実体法上の法律関係＝が特別な事由に因り消滅した場合に言渡されるものとする（一四五頁、三五九頁）。右両者の見解の相違は、前者が静的な権利としての科刑権の外に、それに伴う実体的公訴権――これも実体上の権利であるが――を認め、この権利が一旦発生した後消滅した場合に言渡される判決が免訴判決である、とするのに反し、後者は、直接刑罰請求権――犯罪であることによつて国家に発生する権利（一四六頁）――の消滅をもつて免訴判決を説明しようとする。もつとも、後者も亦前者と同様に、右の刑罰請求権の発生と同時に、その認定裁判を受けるに必要な実体的公訴権が発生するものとしているが、これは実体法上の権利ではなく訴訟法上の権利であり(一四四頁)、しかもこの二つの権利の関係については、刑罰請求権が特別の事由によつて消滅した結果、実体的公訴権が消滅する場合と、実体的公訴権が消滅する結果、刑罰請求権が消滅する場合とがあるものとし、刑罰請求権が特殊の事由により消滅した場合(その結果、実体的公訴権も消滅するが)に免訴判決をなすべきものとするのである。

(2)　形式裁判説　まず牧野博士(重訂刑事訴訟法昭和三年十五版)は免訴の判決をもつて、管轄違、公訴棄却の判決と共に訴訟手続に関する裁判として、形式裁判である、とする(三〇二頁)。そしてそれは公訴権(この公訴権は博士の場合には刑罰権の効力又は作用ではなく、純然たる訴訟法上の関係とされているが)が消滅した場合――この場合には単に公訴が不適法となるのみならず、公訴棄却又は管轄違の裁判と異なり、その欠点が補正することができないために、単にその公訴のみならず一般にその事件について訴追することが法律上許されなくなる――に言渡される裁判である、とされる。但し、旧法三六三条二号の「犯罪後ノ法令ニ因リ刑ノ廃止アリタルトキ」については、公訴権消滅の原因と見ることは難く、場合により無罪の判決(新法で罪とならなくなつた場合)又は刑の免除の判決(新法で刑を免除する場合)をなすのが相当であるが、法律は公訴権消滅の他の場合と同様、免訴の判決をなすべきものとしたのである、と説く(一〇七―一〇九頁)。

次に、小野博士(刑事訴訟法講義合冊三刷大正一四年)は、裁判を実体上の裁判と形式上の裁判とに別ち、前者は刑罰権の存否に関する実体法上の関係について裁判するもの、後者は、訴訟上の点に関する裁判であるとし、刑の言渡、刑の免除及び無罪の裁判を前者に、又免訴、公訴棄却及び管轄違の裁判を後者に属せしめ(一六―二三頁)、他方、公訴権につき、(イ)抽象的公訴権――すなわち裁判所から何等かの裁判を受ける権利、(ロ)形式的公訴権――すなわち裁判所から実体上の裁判(有罪又は無罪)を受ける権利、(ハ)具体的公訴権――すなわち有罪(刑の言渡又は刑の免除)の判決を受ける権利、の三に分ち、(ハ)の具体的公訴権のないことが初めから明白である場合には、(ロ)の形式的公訴権が消滅するものとし(一八三頁、一八四頁)、この具体的公訴権の明白な不存在が訴訟障礙となり、免訴判決をなすべきものと説かれる(一八四―一八五頁)。たとえば、犯罪の成立があつても、時効の完成、大赦、刑の廃止、確定判決等の事実が存するときは、絶対にその訴追が許されず、公訴を提起しても実体上の審理に入ることを得ない、とされる(一八八頁)。

(3)　折衷説　宮本博士(改訂刑事訴訟法講義昭和六年)は、実体的公訴権の観念を蛇足とし、免訴判決の意義を統一的に説明することは困難であり、確定判決を経た場合における免訴は形式裁判であり、これは公訴権(事件につき訴訟手続を開始し適当な裁判を求める権利)の消滅又は不存在を理由とするに過ぎないから公訴棄却の判決と同じものであるが、犯罪後の法令に因り刑の廃止があつたときは、免訴の判決は無罪の場合と同じく、直接に実体法上刑罰請求権なしという判断を表示するものであつて、実体判決である。唯無罪と異るのは彼の場合には犯罪がないため実体権がないという裁判であるが、此の場合は犯罪のないときは勿論、仮にこれありとしても刑の廃止があつたため実体権なし、すなわち結局犯罪の有無に拘らず実体権なしという裁判であり、大赦があつた場合、時効が完成した場合も同様である、とされる（九五―九六頁、七四―二七六頁（二））。

（二）　現行法の下における学説

(1)　実体裁判説　斉藤金作教授（刑事訴訟法学昭和二十六年）は、免訴判決は「一旦国家に発生した具体的刑罰権が特別の事由により消滅した場合に言渡すものであるから、本案判決であると考える」とされる（二二五頁）。そして教授のいわゆる本案判決は、実体判決と同一義であり、訴訟の客体たる具体的刑罰権の存否に関する裁判をいうのである（一六九頁）。但し教授の本著書は極めて簡潔であるから、教授が刑訴三三七条一号の「確定判決を経たとき」になされる免訴判決をも実体判決と考えておられるのかどうかは明らかでない。

(2)　形式裁判説　これには種々のニュアンスがある。

（イ）　純然たる形式裁判説　青柳文雄教授（全訂刑事訴訟法通論）は、刑事訴訟法三三七条がその各号の事由ある場合に免訴すべきものとしているのは、有罪無罪の実体判決をすべきではないとすることによるのであるから、これは実体判決というべきではない、形式裁判説はいずれも欠点はあるけれども、私は法が政策的立場において、すなわち一号の場合には、有罪無罪の判決が前になされておれば、再度同一事件について判決することは憲法三九条に違反するという意味において、他の場合には公益の代表者たる検察官が構成した訴因がこれらの事由ある場合である以上は一応刑罰権もないものとみなしているという意味において、いずれも実体判決をする利益のない場合であるとして処理を命じているのであるから、純形式裁判とするのが正しい、これに既判力を生ずるのは政策的理由であつて、理論

的立場に立つものではないと考える、とされ(三三九―三四〇頁)、

又、安平博士(改正刑事訴訟法)は、訴訟法が免訴判決を認めている所以は、刑の廃止、大赦、時効の完成等において公訴事実に対し実体的審判をなさんとするにあるのではなく、寧ろ反対に、仮に公訴事実は立証されたとしても、刑の廃止、大赦、時効の完成があつたため、結局犯罪の有無に拘らず、実体的公訴権のないことそれ自体を理由として裁判させようとするのに外ならないのであるから、むしろ形式的裁判と解すべきもの、とされる(四一四―四一五頁)。

次に井上、平野及び吉田の三教授の所説を紹介しなければならない。

まず井上教授は、その全訂刑事訴訟法原論においては、免訴の判決は形式裁判の一種であるが、事件につき公訴権の存在しないことが明らかになつたところから、その事件につき窮極的判断(有罪、無罪の窮極的判断とは異なるが)をなしたものであるという意味で、実体関係的形式裁判である、とされているが、「免訴の判決」(判タ四巻四号―通巻二九号)においては、団藤教授の実体関係的形式裁判説について詳細に検討した後、「免訴の判決は、形成された実体を標準として判断さるべきではなく、直接訴訟の対象についての判断として構成さるべきであろう。この意味から免訴を、実体関係的な形式裁判と解することは捨てらるべきであろう。免訴の判決は、形成された実体につき、その理由の有無を判断するものではない。その意味で実体裁判とは異る。訴訟の対象につき形式的に訴訟を打ち切る形式裁判である。」とし、免訴の判決をすべき場合に、場合によつては実体形成を必要とする場合もあり、実体形成を全然許さないとするのは正当でないが、この場合でも、免訴判決を言渡す場合に標準となるのは、直接

その形成された実体ではなく、その実体が訴訟の対象に還元されてはじめて意義をもち、どこまでも訴訟の対象自体が標準となる、とされる。そしてこれが既判力を有する理由については、免訴判決は一般にその事件について訴追を許さないと判断することにより、事件自体を終局的に紛争から遮断したこととなり、一度国家の名において、終局的に紛争を遮断した事件については、再度の審判を許さないということは、訴訟の論理性から当然の要請であるからである、とされる。

次に平野教授（刑事訴訟法（法律学全集））は、訴因として掲げられた事実の存否について審理し判断することが許される性質、いいかえると、その訴因に内在する訴訟追行の可能性ないし利益がないときに免訴の言渡をするのであり、したがつて免訴は形式裁判であるが、それは訴因に内在した性質に基く点で、単に一定の条件の下では訴訟追行を許さないにとどまる手続的訴訟条件の場合と異なるもの、とされる（一五一頁）。

また吉田常次郎教授（「免訴と無罪」ジュリスト五二号四〇頁以下）は、「実体関係的形式裁判説は刑事訴訟法三三七条一号の場合も実体面に由来する訴訟条件の欠缺のため言渡されるとするところに疑問があり、確定判決を経たということは実体面に由来する事由とは解せられない。又二号以下の場合は実体的刑罰権を消滅させるのであるが、それが延いて公訴権を消滅させ、公訴権なる訴訟法上の権利の消滅を原因として免訴の言渡をするのであつて、刑罰権の消滅を原因として免訴するのではない」として後述の実体関係的形式裁判説を排斥しつつ、他面「二分説が免訴の判決の性質を統一的に理解することを断念するのは性急である」と、後述の折衷説をも退け、刑事訴訟法三三七条の一号も二号以下も共に公訴権の消滅を理由とするもので形式裁判であり、それが既判力を生ずるのは、その意思表示的内容によるもの、すなわち免訴とは被告人を訴訟から解放し、もはや被告人に対しては永久に訴訟を追行しないという国家意思の表示であるからである、とされる。しかし実体的審理については「免訴をするには、ある程度実体に立入る必要がある。起訴にかかる事実が直ちに客体的真実性を有する事実と認めることはできない。大赦を例にとれば、大赦は大赦せらるべき犯罪事実の存在を前提とするのである。ところが起訴にかかる事実は、客観的嫌疑が存するだけでその存否は実体的審理をしてみなければ判らない。しかもその判断は裁判所においてなすべきは当然である。もし審理の結果公訴事実の存在が疑わしい場合には、免訴の言渡をすべきものではない。更に進んで実体審理を進め、厳格な証明によつて、公訴事実の立証ができないときは、無罪の言渡をすべきである。免訴の判決は公訴事実の存在について、裁判所が確信を得たときに――それは自由な証明によつても差支えない――はじめて言い渡すべきである」とされるのである。教授の右の所論は、要するに免訴判決はいずれも公訴権の消滅を直接の理由とする判決である点で、形式裁判であるが、それは、免訴さるべき犯罪事実の存在を前提とするから、その存否の判断に必要な限り実体的審理を必要とし、その審理の結果公訴事実の存在について裁判所が確信を得たとき――それは自由な証明でも差支えないが――にのみ免訴すべきで、そうでない場合には無罪の言渡をすべきである、とするに在るようである。

もし、そうだとすれば、実体関係的形式裁判説を排斥しつつも、その実質においてはこれに近いものということができよう。

（ロ）　実体関係的形式裁判説　小野博士（新刑事訴訟法概論昭和二十六年改訂版）は、新法の下においても形式裁判説を主張されるが、公訴権の概念や免訴判決の本質についての説明は、その旧法下において説かれたところと若干異なるところがある。すなわち、先ず公訴権については、抽象的公訴権と具体的公訴権とを分ち、前者は一般に公訴を提起し又これを追行する権利、後者は特定の事件につき公訴を提起し又はこれを追行する権利であり、事件について確定判決があつたとき、犯罪後の法令により刑の廃止があつたとき、大赦があつたとき、時効が完成したときにおいては、この具体的公訴権は消滅し、検事は公訴を提起し得ない。又公判において、被告事件の実体に関する審理及び判決をすべき訴訟関係すなわち実体的な審判を行わなければならない関係を実体的訴訟関係、又このような関係を生ずるに必要な条件を訴訟条件とし、訴訟条件の中で、被告事件について公訴権が消滅している場合、すなわち確定判決を経たとき、犯罪後の法令により刑が廃止されたとき、大赦があつたとき、時効が完成したとき等においては、実体関係的な訴訟条件を欠き、実体的訴訟関係の成立を妨げ又はこれを消滅させるもので、この種の事由があるときは裁判所は実体的審理に入ることを得ず、すでに実体の審理に入つている場合にも、その程度で審理を打切り、免訴の形式判決をもつて手続を終るべきもの、とされ（一一六―一一八頁、一二四頁）、又免訴の裁判は、被告事件の実体に関係してその実体的公訴権が存在しないことを確定する裁判で、実体関係的な裁判である（一〇四頁）とされる。

次に団藤教授（綱要六訂版）は、訴訟条件を形式的訴訟条件と実体的訴訟条件とに別ち、前者は手続面に関する事由を訴訟条件としたもの、後者は実体面に関する事由を訴訟条件としたものであり、したがつてその存否を審査するには必然的にある程度迄事件の実体に立入ることを要する。免訴はこの実体的訴訟条件の欠けた場合に言渡される判決である。しかも実体的訴訟条件は形式的訴訟条件と異なり、常に実体そのものに関連させてその存否の判断が行われるため、免訴の裁判は形式的裁判でありながら実体関係的であり、それ故にこれを実体関係的形式裁判と考えるのが正しいと思う、とされる（一三四―一三六頁、二三五―二三六頁）。

右によつて知られる通り、免訴の判決をもつて実体関係的形式裁判と説く者の中においても、それが如何なる意味において「実体関係的」といわれ得るかの理解乃至説明にはかなりの相違があるようである。

(3)　折衷説　平場教授（改正刑事訴訟法講義）は、前述の宮本博士の見解を引継いで、免訴の裁判の性質を統一的に把握することは困難であり、刑訴法三三七条一号の場合は形式的裁判であるが、二号以下は要するに犯罪事実の有無に拘らず、刑罰権を不発生たらしめる特殊事情の存在を理由に刑罰権なしとする実体裁判であるとする（五〇五―五〇七頁）。

小野慶二氏（司法研修所創立十周年記念論文集下二三四頁以下）は、右平場教授の見解と異なつた方面において一種の折衷説を主張される。すなわち、免訴の裁判は一般には形式裁判であるが、被告人が無罪を主張している場合には事情が異なる、被告人には無罪判決請求権があり、被告人が無罪を主張した場合には実体的審判をしなければならない、その結果裁判所が有罪の心証に到達したときは罪となるべき事実を認定した上で免訴の言渡をすべきもの、とされる。但し、確定判決を経たときの免訴の裁判は常に形式裁判とされるものごとくである。

免訴判決の本質及び実体審理の許否もしくはその範囲については前述のように学説の岐れるところであるが、以下判例の研究に移ろう。

二　判　例

最初に最高裁判所の判例としては、先ず、いわゆるプラカード事件に対する判決を挙げなければならない。事案は大赦があつた場合の免訴に関するものであり、その公訴事実は、被告人は昭和二十一年五月十九日「詔書（ヒロヒト曰く）国体はゴジされたぞ朕はタラフク食つてるぞ云々」と記載したプラカードを作成しこれを他人に担わしめて食糧メーデーに参加し示威行列に伍して行進し天皇に対し不敬の行為をなしたものであるというのであつた。そして第一審裁判所（東京刑事地方裁判所）は、これとほぼ同様の事実を認定した上、日本がポツダム宣言を受諾し降伏文書に調印した後においては、天皇に対する誹毀侮辱等に渉る行為については不敬罪をもつて問擬すべきではなく、名誉に対する罪条をもつて臨むのを相当とするとして、右を名誉毀損罪とし懲役刑を言渡した。この判決の言渡の翌日すなわち昭和二十一年十一月三日勅令五一一号によつて不敬罪に対して大赦があつたのであるが、第二審裁判所（東京高等裁判所）は事件の実体について審理し、被告人が前記のようなプラカードを作成し、これを携行用に用いて示威行列に参加した事実を認定した上、これは不敬罪に該当するが、これにつき大赦があつた故、免訴の言渡をすべきものとした。この第二審判決に対し被告人から当時すでに不敬罪は消滅していること、その他を理由として無罪を主張して上告がなされた。これに対する判決が本判例である。判示をやや詳細に紹介すれば、次の通りである。

【1】「(イ)そもそも恩赦は、ある政治上又は、社会政策上の必要から司法権行使の作用又は効果を、行政権で制限するものであつて、旧憲法下でいうならば、天皇の大権に基いて、行政の作用として、既に刑の言渡を受けたものに対して、判決の効力に変更を加え、まだ、刑の言渡を受けないものに対しては、刑事の訴追を阻止して、司法権の作用効果を制限するものであることは、大正元年勅令第二〇号恩赦令の規定に徴し明瞭である。……前記大赦令(昭和二一年勅令五一一号大赦令―筆者註)に、同日前に刑法第七十四条の罪を犯したものは赦免せられるとあるは、まだ刑の言渡を受けないものに対しては、前示刑法第七十四条の罪を犯したとの嫌疑をもつて起訴せられ、その具体的公訴事実について、現に公訴の繋属中なるものについて、その訴追を阻止するという趣旨に解しなければならない。……

しかして大赦の効力に関しては、前示恩赦令は、大赦は、大赦ありたる罪につき、未だ刑の言渡を受けないものについては、公訴権は消滅する旨(恩赦令第三条)を定めている。即ち、本件のごとく公訴繋属中の事件に対しては、大赦令施行の時以後、公訴権消滅の効果を生ずるのである。

しかして、裁判所が公訴につき、実体的審理をして、刑罰権の存否及び範囲を確定する権能をもつのは、検事の当該事件に対する具体的公訴権が発生し、かつ、存続することを要件とするものであつて、公訴権が消滅した場合、裁判所は、その事件につき、実体上の審理をすすめ、検事の公訴にかかる事実が果して真実に行われたかどうか、真実に行われたとして、その事実は犯罪を構成するかどうか、犯罪を構成するとせばいかなる刑罰を科すべきやを確定することはできなくなる。これは、不告不理の原則を採るわが刑事訴訟法の当然の帰結である。本件においても、既に大赦によつて公訴権が消滅した以上、裁判所は前に述べたように、実体上の審理をすることはできなくなり、ただ刑事訴訟法第三百六十三条に従つて、被告人に対し、免訴の判決をするのみである。

(ロ)　従つてこの場合、被告人の側においてもまた、訴訟の実体に関する理由を主張して、無罪の判決を求めることは許されないのである。……刑法不敬罪の規定は昭和二十一年五月十九日、即ち本件被告の行為のなされた当時には既に失効していたという主張に関しても、畢竟これは被告人の本件所為が罪となるか、ならぬかの争点に関するものであつて、大赦によつて本件公訴権は消滅し、実体上の審理が許されないことは前説明のとおりであるから、被告人等も、また、かかる理由に基いて、無罪を主張することは許されないのである。……大赦の場合には、裁判所としては免訴の判決をする一途であり、被告人の側でも、無罪を主張して、実体の審理を要求することはできないのであるから、原審がした免訴の判決に対して無罪を主張して上訴することもまた違法であるといわなければならない」(最判昭二三・五・二六 刑集二・六・五二九)。

右の判示によつて知られるように、本判例は免訴判決の本質について形式裁判説をとり、しかも不敬罪を犯したという嫌疑をもつて起訴されたものについてはその訴追が阻止される、とするのであるから、公訴事実について大赦があつたかどうかも、専ら起訴における罪名によつて定めるべきで、当該事実が不敬罪なりとして起訴された以上、裁判所は当該公訴事実が不敬罪に該当するか否かの審理もこれをなし得ないものとするのみならず、当の不敬罪の規定が大赦令の発効以前に既に失効していたか否かという問題についても、これに立入つて審理することができないものとし、また被告人においても、公訴事実につき大赦があつた以上、無罪を主張して実体的審理を求め、または、免訴の判決に対して無罪を主張して上訴することができないものとするのである。

本判決における多数意見の要旨は大略右のようなものであるが、これに対し、免訴の判決は実体判決である、とする少数意見がある。すなわち、斎藤裁判官は、「免訴判決は、無罪判決と同じく、実体的公訴権に関する実体判決であり、無罪判決が実体的公訴権が初めから発生しない場合になす判決であるのにたいし、免訴判決は一旦発生した実体的公訴権がその後消滅し、若しくは実体的公訴権の存否が既に確定判決により確定した場合になす判決であるから、免訴判決をするには、先ず実体的公訴権の発生したことを確定し、然る後その消滅したことを確定するか、又は、実体的公訴権の存否が既に確定判決により確定したことを確定するのが理論上当然である」、「大赦があつたときは、その実体法上の効果を訴訟法にも及ぼし、訴訟法上ある種類の犯罪の実体的公訴権の存立した一般者に対して、その実体的公訴権を消滅せしめ、これを理由として免訴の判決を言渡すべきものとしたのである。初より実体的公訴権が発生せざる者に対しては大赦の効果を及ぼす理由毫もなく、無罪の判決をなすべきものである」とし、結局原判決が、被告人の所為が不敬罪に該当するものと認めた上、免訴の判決をしたことは正当である、とする。

霜山、沢田両裁判官も、「大赦はある種類の犯罪について行われ、その効果は当該犯罪によつて生じた刑法上の効果を消滅せしめるもの、言いかえれば、その犯罪に対する国家刑罰権を消滅せしめるものである。」「未だ刑の言渡を受けない者については大赦が公訴権消滅の効果を有することは明かであるが、それは大赦が当該犯罪につき国家刑罰権を消滅せしめるものであるからその犯罪に対する公訴権を消滅せしめたものである。それで、裁判所が大赦のあつたことを理由として免訴の判決をする場合には公訴事実が大赦のあつた罪に該当するや否やを判断してそれが該当する場合に限り免訴の判決を為すべきものである。もしそれが該当しない場合には免訴の判決を為すべきものでない」とし、又大赦を理由とする免訴の判決は単に検事の主張する公訴事実とその罪名のみに基いて為すべきものとする見解に対しては、「しかし裁判所は検事の公訴事実につけた罪名に拘束される理由はないのである。例えば検事のつけた罪名が大赦のあつた罪でない場合でも裁判所が実体審理を遂げた結果その公訴事実が大赦のあつた罪に該当すると判断されるときは検事のつけた罪名に拘束されることなく免訴の判決を為すべきであつて（中略）、免訴の判決は公訴事実が大赦のあつた罪に該当することを判断し大赦により当該犯罪に対する国家刑罰権の消滅したことを確定するものであるから、実質的判決であつて形式的判決ではない」と論じ、「無罪の判決は刑罰権が始めから存在しない場合に言渡すものであり免訴の判決は一旦発生した刑罰権がその後消滅した場合に言渡すものである。従つて無罪の判決と免訴の判決とを比較して見ると無罪の判決は免訴の判決よりも被告人にとつて遙かに有利であることは明かである。然らば免訴の判決を受けた被告人は上訴をする利益を有するものであるから無罪の判決を求めるために上訴することができるものと解するのが正当である」とし、上告は適法である、と論結し、進んで上告論旨について審究の結果、結局原判決は正当であるとされる。又庄野裁判官は「元来恩赦令にいう大赦というのは犯人に対して行はれる恩典と考えられたもので（中略）、本件では被告人は本件行為当時不敬罪は存在しなかつたと主張するのである。若し然りとすれば被告人は罪あるものでもなく、また、罪の疑はしきものでもない。従つて被告人に対する公訴権なるものははじめから無かつたのである。はじめから無かつたものは消滅のしようが無いのであるから大赦の対象にはなり得ないのである」とし、本件行為当時不敬罪が実質的に廃止されたものと断じ、原判決を破毀して無罪判決をなすべきものとする。

右の判例は学界に大きな波紋を投じた。批評としては、まず、団藤教授のものがある（判タ五・二）。教授は「大赦は、その犯罪に対する刑罰権を消滅せしめるもの」とする霜山、沢田両裁判官の意見に賛せられ、又多数意見が起訴罪名を標準として恩赦にかかつたものであるかどうかを判断する立場に立つことに反対し、同じく右両裁判官の「裁判所は公訴事実につけた罪名に拘束される理由はないのである。例えば検事のつけた罪名が大赦のあつた罪でない場合でも裁判所が実体審理を遂げた結果その公訴事実が大赦のあつた罪に該当すると判断されるときは、検事のつけた罪名に拘束されることなく免訴の判決を為すべきである」との意見に賛同し、免訴の事由があるかどうかの判断にあたり、起訴罪名だけを標準としようという説を排斥されるが、同時に、完全な実体形成の結果免訴の事由の有無を判断しようとする説も不当である、とされ、実体的審理の限界を次のように説かれる。すなわち、公訴事実が恩赦にかかつたものであるかどうかの判断は第一に、公訴事実存否の判断、第二にその事実に対する法令のあてはめおよびあてはめられた罪名が大赦のあつたそれに該当するかどうかの判断から成り立ち、後者は有罪判決における法令の適用と同じ正確さを必要とするが、前の判断は、有罪判決におけるような裁判官の確信を必要とせず、それぞれの実体形成の段階を標準とすべきものであろう、とし、「第一審ではまず起訴状記載の公訴事実——起訴罪名ではなく——がさしあたり標準となる。むろん被告人は無罪を主張することができるし、検察官も事実の同一性の範囲内で大赦のあつた罪名にあたる事実以外の事実を立証することができる。裁判所もまた必要に応じて実体的審理をすることができるものと考えなければならない。しかしそれによつて積極的に無罪または別罪の推測を生じないかぎり、起訴状記載の公訴事実が大赦を受けた罪に該当するものと認められるときは、免訴の判決をするべきである。無罪又は別罪の推測を生じたときは、そのまますぐに免訴を言渡すべきではなく、さらに実体的審理を続行する必要があるものと解する。ところで第一審で実体的判決があつたときは、実体形成は更にそれだけ進んだのであるから、第二審では、もはや起訴状記載の事実ではなく――むろん事実の同一性を害しないかぎり――第一審判決の認定事実がさしあたりの標準となる。ここでも第一審について右に述べたと同様なことがあてはまる」とされ、本件において第一審は名誉毀損罪として有罪判決を言渡したのであるから、第二審としては、単に起訴状の記載が不敬罪であるからといつて、それだけで免訴判決をすることはできず、積極的に被告事件を不敬罪にあたるものと認めることを要するので、この意味において第二審判決は正当であるとし、「免訴の事由の存在によつて訴訟条件が欠けるという論理を形式的にあてはめることによつて、実体的審理が全く許されないと考えるのは正当でない。実体関係的訴訟条件は必然的に実体に関係させてのみ、その存否を判断することができるのである。本件の多数意見は訴訟条件のもつ意味を形式的、固定的に考えすぎているとおもう」と論結される。

ついでながら本件判例は旧刑訴の下におけるものであり、団藤教授の右批評もまた旧刑訴の下においてなされたものであるが、教授は現行刑訴の下においても、ほぼ同様の見解を持たれるもののごとく、「新刑事訴訟法綱要」における同教授の所説は既に述べたとおりであるが、更に演習講座においては「免訴を実体関係的形式裁判と考えるときは、免訴事由の有無を判断するために被告事件の実体に立ち入つた審査も可能――場合によつては必要――だといわなければならない」「実体審理をそのものとして最後まで押し進めるのであればまさしく実体判決になつてしまうが、免訴事由の有無の判断のために必要な限度で実体の問題をある程度審理した上で、手続を打ち切るのであるから、実体判決とのあいだには判然とした区別がある」とし、起訴状だけを見て免訴事由の有無を判断すべしとする説に対しては、「かりに起訴状の記載じたいから公訴時効の完成が看取されるような場合でも、裁判所が——例えば冒頭手続における被告人の主張などの結果——無罪であるかも知れないとの疑を持つことになつた場合に、それでもすぐに免訴の判決をするのが妥当であろうか。わたくしは憲法第三一条の趣旨からいつても、被告人は、かような場合には、やはり無罪の実体判決を求める権利があるものと解する」としている（新法律学演習講座刑事訴訟法三三〇頁以下、特に三三七―三三八頁）。なお本判例については、外に、井上教授前出「免訴の判決」判例タイムス四巻四号、田宮助教授「免訴の性質」―プラカード事件―ジュリスト二〇〇号等の論文がある。

　さて、右に述べたように学説はもとより、右判例における多数意見と少数意見も極めて多岐に亘り、今、この問題について詳細な検討をすることは、本書の目的上差し控えなければならないけれども、今後この問題について論ずる場合には、㈠そもそも実体裁判と形式裁判とはいかなる点において区別さるべきか、いかなる場合に裁判は実体裁判といわれ、またいかなる場合に形式裁判といわるべきであるか、ことにその実体的審理との関係如何、実体的審理と実体裁判とが直ちに結びつくものであるかどうか、㈡学者のいわゆる「実体関係的」という意味は果して何を意味するのか、それはいかなる意味において使用された場合に実益を有するか、㈢「刑の廃止、大赦等が、犯罪事実の存在を前提とする」という実体法的な論理が訴訟法上もまたそのまま通用すべきものか、あるいはまた、異つた形をとることが許されるか、等の点が検討さるべきであろうと思う。

私の結論を簡単にいうならば、第一に免訴判決は、仮令ある罪となるべき事実の認定の上になされている場合でも、その事実に基く国家の具体的刑罰権自体を確定し宣言するものでないという意味においてやはり形式裁判であり、第二に、免訴の判決は、国家の具体的刑罰権を確定することなしに手続を終了せしめる裁判である点において、公訴棄却の裁判、ことに親告罪の場合に告訴のないことを理由とする公訴棄却の裁判と同一であるが、その理由が、当の具体的刑罰権の有無が既に確定されているかあるいは当の具体的刑罰権それ自体の性質上その確定が永久に断念されなければならないという事情が発生していることに基いて、その具体的刑罰権自体が裁判所の判決によつて確定・定立される資格を欠くに至つている場合に言渡される点で、実体関係的形式裁判であると考え、第三に、刑の廃止、大赦、公訴時効の完成の三つの免訴事由において、これらの免訴事由は国家の具体的刑罰権の発生・成立を前提とするという実体法的静的な理論は、そのまま、訴訟法上も、これらの事由により免訴判決をするには、常に裁判所が実体審理をして、まず具体的刑罰権の発生・成立を確定することを要するという結論に導くものではなく、むしろこの理論は、嫌疑から確定へと発展してゆく訴訟の発展的過程の中において適用されて行くべきものと考え、したがつて、その免訴事由の有無は常に裁判所の実体審理による刑罰権の成立の判断に依拠してなさるべきものとする説も、反対に、事由の有無は常に訴因において主張されたところによるべしとする説も、共に失当であると考えるものである。

ところで、現行刑訴の下においても判例【1】に示された最高裁判所の右の態度は変つていない。まず免訴判決に対し無罪を主張して上訴した場合につき次のようなものを挙げておこう。

【2】「免訴判決に対しては被告人から無罪を主張して上訴できないこと当裁判所の判例の趣旨とするところであつて(昭和二二年(れ)七三号同二三年五月廿六日大法廷判決、刑集二巻六号五二九頁)、本件論旨は採るを得ない」(最判昭二九・一一・一〇 刑集八・一一・一八一六)。

【3】「免訴判決に対しては被告人から無罪を主張して上訴できないことは、当裁判所の判例の趣旨とするところであつて(前記【1】の判例引用―筆者註)右同旨の理由により、被告人の控訴を理由なしとした原判決に対しても亦被告人等から無罪を主張して上告の申立をすることは許されない……」(最判昭三〇・一二・一四 刑集九・一三・二七七五)。

右【2】は昭和二五年政令三二五号違反被告事件、【3】は同政令違反及び公務員法違反被告事件におけるもので、判例【2】は第二審の免訴判決に対する上告に対し、又【3】は、第一審の免訴判決に対し被告人より無罪を主張して控訴し、控訴審が控訴棄却の判決をした場合の上告に対するものである。

次に実体的審理を許すかどうか、許すとすれば如何なる限度で許されるか、また免訴事由があるかどうかは訴因によるかそれとも裁判所の認定したところによるかにつき次の判例を挙げなければならない。これも昭和二十五年政令第三二五号違反被告事件におけるものであり、公訴事実は、被告人等は連合国に対する虚偽又は誹謗的記事を内容とする文書を船員等に配布しようと共謀し、一定内容の文書(内容略)を作成、佐世保港内に碇泊中の船舶に郵送又は手交して、占領目的に有害な行為をした、というのであつた。第一審は、『右公訴事実は、昭和二十五年政令第三二五号占領目的阻害行為処罰令第二条、第一条、昭和二十年九月十日最高司令官覚書第十六号第三項に該当するが、右政令は平和条約発効以後当然効力を失つたものであり、犯罪後の法令により刑が廃止された場合に準じ、刑事訴訟法第三三七条第二号により免訴の言渡をなすべきもの』としたが、第二審は、本件の頒布されたビラの内容を検討し、『このような内容の言説は、未だ連合国の占領目的に、実質的な危険を及ぼす虞のある反撃的な言論と認めるに足りないから、右覚書第三項にいわゆる連合国に対する虚偽又は破壊的批評を論議した場合に該当せず、原判決が免訴の言渡をしたのは、結局において本件被告人の所為が右覚書を内容とする政令第三二五号に該当することを認めたことに帰するので、原判決は、その事実認定を誤つたものというのほかない』とし、一審判決を破棄して無罪の判決をした。これに対し検察官から上告したのであるが、最高裁判所は、小谷裁判官外三裁判官の、昭和二五年政令三二五号は、平和条約発効と同時に当然失効し、その後に右政令の効力を維持することは、憲法上許されないから本件は犯罪後の法令により刑が廃止された場合にあたるという意見及び栗山裁判官外三裁判官の、右政令は昭和二〇年九月一〇日附連合国最高司令官の覚書三項を適用するかぎりにおいて平和条約と共に失効し、犯罪後の法令により刑の廃止があつた場合にあたる、との意見を述べた上、次の如く判示し、原判決を破棄し被告人を免訴した。

【4】「……以上八裁判官の意見によれば、本件は犯罪後に刑が廃止されたときにあたるものである。従って被告人に対し免訴の言渡をしなかつた原判決は違法である……」(最判昭三一・一・二五 刑集一〇・一・一〇五)。

右の如く多数意見は、本件の場合、控訴審たる原審が免訴の言渡をしなかつたのを違法としているのであるが、これに対し、平和条約発効前に犯した昭和二五年政令三二五号違反の罪に対する刑罰は平和条約発行後といえども廃止されたものといえないという田中、木村両裁判官の反対意見の外に、本件文書の内容は、連合国に対する虚偽又は破壊的批評を論議したものに該当しない、という原判決の判断を正当とし、免訴判決は一旦発生し、成立した実体的公訴権がその後消滅したときになすべき実体裁判であるから、同一事件につき無罪事由と免訴事由とが競合するときは、まず無罪を言渡すべきである、多数説が訴訟経過を精査することなく、かつ、判断を示すことなく、原判決を違法であるとしてこれを破棄し被告人を免訴するのには賛成できない、という斎藤裁判官の反対意見がある。

本判例の多数意見が、前記政令の効力についてのみ説示し、本件の事実が果して右政令に違反するか否かについて論及していないことは、斎藤裁判官のいうとおりであり、このことは多数意見が、被告事件について免訴すべきか否かについては、公訴事実につき検察官の附した罪名を標準として定むべきである、とする見解を採用したものと見ることができよう。

次に事案がやや異るものとして、検察官が被告人の特定行為を、名誉毀損罪として、犯行後一年一月余を経過した後公訴を提起した場合、裁判所がその公訴事実を侮辱罪に該当するものと認めた場合について次の判例がある。云うまでもなく、名誉毀損罪の公訴時効は三年、侮辱罪のそれは一年であることから問題を生じた。

【5】「被告人が本件の所為をなしてより一年一月余を経過した昭和二七年一〇月一一日に検察官から公訴の提起があつたことは起訴状により明らかであつて、たとえ、起訴状記載の訴因及び罪名が名誉毀損罪であるにしても、原判決は名誉毀損の事実を認めなかつたこと前示のとおりであるから、右起訴の当時すでに

本件所為につき公訴の時効は完成したものというべきである。されば本件の場合においては、刑訴四〇四条、三三七条第四号により、被告人に対し免訴の言渡をなすべきものであるのに、原判決が前示刑法二三一条に問擬し、有罪の言渡を為したのは違法である」(最判昭三一・四・一二刑集一〇・四・五四〇)。

このように右の判例においては、原審が訴因及び罪名が名誉毀損であるにも拘らず、公訴事実の内容を検討し、これを侮辱罪とした原判決の態度を是認し、しかも、原審がこれを侮辱罪と認める以上、これによつて時効完成の有無を判断すべきものとしている点に注目すべきである。そして、一見するところ本判例は、前記【1】及び【4】の判例と異り免訴事由の有無の判断にあたつては訴因及び罪名に拘わることなく、公訴事実そのものに立入つてそれがいかなる犯罪に該当するやを審査し、その得た結論に従つて免訴事由の有無を判断すべきものとするもののようである。しかし、しさいに見ると本件の場合は、当初は免訴ということは問題にならず(告訴があるから)裁判所が公訴事実の内容に立入つて事実の有無及びその事実が名誉毀損罪に該当するかどうかを審査し得ることは当然であり、この当然なし得た実体審査の結果裁判所が得た結論が侮辱罪にあつたためはじめて免訴事由たる公訴時効が問題となつてきたのである。換言すれば、当初は訴訟条件は完全に具備すると考えられ、したがつて実体的審理を進めていつた裁判所が、その実体的審理の結果、はじめて免訴事由の有無が問題となつてきた場合なのである。そして本判例は、このような場合には、その既になされた実体的審理の結果に基いて免訴の裁判をなすべしとするものであり、この見解が直ちに当初より免訴事由が問題となつている場合にも、実体的審理に入つてその結果により免訴事由の有無を判断すべしという見解に通ずるものと速断することはできないであろう。例えば、本件において当初検察官が公訴事実を侮辱罪として起訴したとしよう。この場合侮辱罪とすれば時効が完成している訳だが、それにも拘らず裁判所は実体的審理を進めることが許されるだろうか、又その結果被告人の所為が名誉毀損であると認めた場合有罪の言渡をすること（勿論この場合には訴因の変更が必要であろうが）ができるであろうか。【1】【3】の判例から云えばこれは許されないであろうし、本判例の立場からも直ちにこれが肯定されると考えることはできないであろう。けれども、本判例は少くとも、訴訟の各段階に応じて許された実体審理の結果は免訴事由の有無の判断にあたつて考慮されなければならない、ということを判示したものとして注目すべきものであろう。

次に高等裁判所の判例を見ることにする。

先ず、前記最高裁の判例【1】の趣旨と全く同様の趣旨を判示したものに次の判例がある。

【6】「……免訴の判決は、すべて、公訴権が消滅したことを理由として訴訟を終局させる形式的裁判で、公訴事実の存否につき実体的審理をして事実の有無を審査し、その事実の認められる場合に始めてこれをなすものではなく、起訴状に記載された公訴事実（正確には各訴因）につき刑事訴訟法第三三七条各号の事由があれば、実体的審理をしないで、直ちにこれをなすべきものである。従つて、免訴の判決においては、公訴事実を掲げ、免訴の理由を説示するに止まり、罪となるべき事実を認定すべきものではなく、原判決も亦これとその軌を一にするものであるから、これに対し、事実誤認を理由として上訴をなすことは許されないものといわなければならない」（福岡高宮崎支判昭三〇・九・二一高裁特報二・一八・九五七）。

ところで、当初訴訟条件が具備され裁判所が実体的審理に入つたところ、その結果、犯罪の日時が訴因中に示された日時と異るものと認められ、そのため時効が完成したものと認められるような場合について、東京高裁は次の如く判示した。事案は公職選挙法違反に関するものである。

【7】「……右に掲げた証拠によれば、右金員の授受についてその趣旨は暫く別としてその日時は同年四月下旬であると解され、右証言を覆すに足る的確な証拠は発見できない。然らば結局右犯罪事実はその証明充分ならざるものといわなければならないから原判決には少くともこの点において事実誤認があるものであつて且つこの誤認は右日時にして四月下旬であるとすれば本件起訴以前において既に六ヶ月の公訴時効が完成している関係上判決に影響を及ぼすことの明らかなものとしなければならない。而して本件については六ヶ月の公訴時効が完成している故をもつて刑事訴訟法第三三七条第四号によりこの事実につき免訴の言渡をすべきであるとの所論については、当裁判所はこのような場合においては、単に起訴に係る犯罪事実を認めるに足る証拠の存しない故をもつて無罪の言渡をなすをもつて足り起訴日時と異る日時の犯罪事実を認定し、この事実に関する本件起訴が既に時効完成後であるの故をもつて免訴の言渡をすることは、訴因制度をとる現行刑事訴訟手続の趣旨にかんがみても不当の措置と考える……」(東京高判昭二九・九・七判時三七・九四一高裁特報一・五・一九五)。

本判例が、原審の事実誤認が判決に影響を及ぼすこと明らかなものであることの理由として、公訴時効の完成ということを取上げ、これを破棄の理由としておきながら、破棄後の処置については、この点を問題の外におき、犯罪日時が訴因に示された犯罪日時と異るの故をもつて無罪の言渡をなすべきものとしていることの当否については多大の疑問がある。もし、訴因に重点を置き、犯罪日時が訴因に示された日時と異なる場合には無罪の言渡をすべきものであるならば、前審の犯罪日時に関する事実誤認は、有罪か無罪かの問題に関するものであり(訴因変更の問題は別として)、従つて、この点においてこの事実誤認は判決に影響を及ぼすこと明らかなものとして、原判決破棄の理由となるはずではあるまいか。また若し、犯罪日時が異なるため時効完成の問題が生じ、この故に右の事実誤認は判決に影響を及ぼすこと明らかなものであるとするならば、やはり時効の完成を理由に免訴の判決をなすべきではなかろうか。本判例の態度には首尾一貫しないものがあるように思われる。

二　確定判決

一　確定判決の意義

（一）　刑事訴訟法三三七条一号にいう確定判決には、公訴棄却、管轄違、移送等の判決を含まないことについて次の判例がある。

【8】「刑事訴訟法第三六三条ノ確定判決ヲ経タルトキハ判決ヲ以テ免訴ノ言渡ヲ為スヘシトノ規定ハ実質的確定力アル判決ヲ経タル被告事件ニ付再度ノ起訴アリタルカ如キ場合ニ一事不再理ノ原則ニ基キ免訴ノ判決ヲ為スヘキコトヲ規定シタルモノト解スヘキカ故ニ第一審ニ於テ形式的確定力アルニ過キサル叙上公訴棄却ノ判決確定シタル場合ニ於テ之ヲ以テ右法条ニ所謂確定判決ヲ経タルモノト為シ免訴ノ言渡ヲ為スヘキモノニ非ス」（大判昭六・七・六刑集一〇・三八九）。

【9】「所謂一事不再理ノ原則ノ適用アルハ公訴事実ニ付有罪無罪若ハ免訴ノ判決アリタル場合ニシテ管轄違ノ判決移送ノ判決及公訴棄却ノ判決アリタル場合ニハ特別ノ明文ナキ限リ其ノ適用ナキモノトス」（大判昭一九・五・一〇刑集二三・九二）。

いずれも旧刑訴時代の判例であるが、後者が積極的に「確定判決」の意義に言及し、有罪、無罪の外特に**免訴の判決を含む**ものとしている点に注意すべきであろう。学説も大体免訴判決を含むものとしているが、異説がなくはない（一事不再理の効力なしとするものは例えば田宮「刑事訴訟における一事不再理の効力」法協七六巻一号）。

略式命令にあつては刑訴法四七〇条により、又交通事件即決にあつては交通事件即決裁判手続法一四条二項により、確定判決と同一の効力を有するものとされているから、一事不再理の効力を生ずることは疑がない。少年に対する保護処分があつた場合及び国税犯則取締法または関税法による通告処分を受けたものが、これを履行した場合については説が分れるが、これが確定判決と同一の効力を有するか否かは別として、少くとも一事不再理の効力（ただし、その範囲は、審判を経た事件または通告処分の履行があつた事件に限るべきであろう）はこれを認めてよいのではあるまいか。ただし判例は通告処分の履行につき次の如く公訴棄却の事由となしている。

【10】「記録によると被告人は以上の事実のうち無免許輸入（関税法違反）の点について、昭和二七年八月二一日附で神戸税関長の通告処分を受け、同年一〇月これを履行していることが認められる（一二一、一二二丁）。しかし旧関税法（昭和二九・四・二法律六一号—同年七月一日施行—による全面改正前のもの）九六条が「犯則者通告ノ旨ヲ履行シタルトキハ同一事件ニ付訴ヲ受クルコトナシ」と定め、新関税法（前記全面改正後のもの）一三八条四項が「犯則者は、第一項の通告の旨を履行した場合においては、同一事件について公訴を提起されない。」と定めているのは確定判決を経たのと同一の効力（刑訴三三七条一号）を認める趣旨ではなく、従つて(イ)これに違反して公訴が提起された場合は、免訴の判決ではなく、公訴棄却の判決（同三三八条四号）がなされるのであり、また、(ロ)「同一事件」というのは、科刑上の一罪関係にある他の罪を含まず、右他の罪については訴追が可能なものと解するを相当とする」（最判昭三一・三・二〇刑集一〇・三・三七四）。

（二）　次に外国裁判所の判決、占領軍裁判所の判決を含まないとすること次の判例の通りである。

【11】　「旧刑訴法三六三条は判決をもつて免訴の言渡をなすべき場合の一つとして『確定判決ヲ経タルトキ』を掲げているが、刑法第五条は『外国ニ於テ確定判決ヲ受ケタル者ト雖モ同一行為ニ付更ニ処罰スルコトヲ妨ケス』と規定し、唯かかる場合に犯人が既に外国において言渡された刑の全部又は一部の執行を受けたときは刑の執行を減殺又は免除すべきものとしている。されば、これら両規定を対照すれば、旧刑訴法三六三条に謂ふ確定判決は我が国の裁判権に依る確定判決のみを指していることは極めて明らかである。それゆえ、所論のように被告人畑林、平岡利男の両名が京都第一軍団軍事裁判所に於て刑の言渡を受け、其裁判確定して、刑の執行を終えたとしても、旧刑訴法三六三条に依り免訴の言渡をなすべき場合には当らない」（最判昭二五・三・七判タ一・二・四九刑集四・三・三一四）。

【12】　「右の占領軍裁判所の裁判は我国の裁判権による裁判でないと同時に、刑法第五条の予想した外国の裁判でもないけれども右占領軍裁判所の裁判が我が国の裁判所の裁判に準じた取扱を受けず、我国の裁判に対し一事不再理の効力を認められていないことから考えると、右占領軍裁判所の裁判はいわゆる外国裁判所の裁判に準ずる裁判と解すべきである」（東京高判昭二八・三・一二東京高時報三・三・一一〇）。

（三）　弁護士の懲戒処分が「確定判決」に当らないことにつき

【13】　「弁護士法に規定する懲戒はもとより刑罰ではないのであるから被告人が弁護士法に規定する懲戒処分を受けた後更に同一事実に基いて刑事訴追を受け有罪判決を言渡されたとしても二重の危険に曝されたものということのできないことは右大法廷判決（最判昭二九・九・二七刑集八・九・一八〇五―筆者註）の趣旨に徴して極めて明瞭である」（最判昭二九・七・二刑集八・七・一〇〇九）。
がある。蓋し当然である。

(四)　又法廷等秩序維持に関する法律による監置につき次の判例がある。被告人が法廷等の秩序維持に関する法律に規定する監置の制裁を受けた後、さらに同一事実につき公務執行妨害罪で起訴された事案に関するものである。

【14】「憲法三九条の一事不再理の原則は、何人も同じ犯行について、二度以上罪の有無に関する裁判を受ける危険にさらさるべきではないという根本思想に基く規定であることは、当裁判所大法廷判決の判示するところである(昭和二四年新(れ)第二二号、同二五年九月二七日大法廷判決、刑集四巻九号一八〇五頁)。また、法廷等の秩序維持に関する法律によって裁判所に属せしめられた権限は、直接憲法の精神、つまり司法の使命とその正常、適正な運営の必要に由来するもので、いわば司法の自己保存、正当防衛のために司法に内在する権限、司法の概念から当然演繹される権限であり、憲法のいずれかの法条に根拠をおくものではなく、従って、前記法律による制裁は、従来の刑事的、行政的処罰のいずれの範疇にも属しないところの、右法律によって設定された特殊の処罰であると解すべきことは、当裁判所の判例とするところである(昭和二八年(秩ち)第一号、同三三年一〇月一五日大法廷決定、刑集一二巻一四号三二九一頁)。それ故、被告人が、刑事的または行政的の処罰のいずれの範疇にも属していないところの法廷等の秩序維持に関する法律による監置の制裁を受けた後、更らに同一事実に基いて刑事訴追を受け有罪判決を言渡されたとしても、憲法三九条にいう同一の犯罪について重ねて刑事上の責任を問われたものということのできないことは、右大法廷両判例の趣旨に徴して明らかである」(最判昭三四・四・九刑集一三・四・四四二)。

(五)　更に道路交通取締法による運転免許の停止処分につき次の判例が見られる。

【15】「道路交通取締法による運転免許の停止処分は、免許を受けた者の主たる運転地を管轄する公安委員会の行う行政処分であって(道路交通取締法九条、同法施行令五九条、六〇条等)、もとより刑罰ではないのであるから、被告人が所論の運転免許停止処分を受けた後、さらに同一事件につき刑事訴追を受け有罪判

決を言い渡されたとしても、憲法三九条に違反するものでないことは、前記判例（最判昭和三〇・六・一刑集九・七・一一〇三、同昭三三・四・三〇民集一二・六・九三八―筆者註）の趣旨とするところである」（最判昭三五・三・一〇法時二一八・三三）。

この判例ももとより正当であろう。

（六）　最後に上訴権の回復と判決の確定力との関係につき

【16】「原判決ハ曩ニ当院ニ於テ為シタル上訴権回復ノ請求ヲ許ス決定ニ因リ其ノ確定力ヲ失ヒタルモノナレバ之ヲ以テ確定判決ト為スコトヲ得ス」（大判大一四・一〇・一三刑集四・六三九）。

がある。

二　一事不再理とその根拠

従来一事不再理の効力は判決の実体的確定力の外部的効力であるとされていた。すなわち判決が確定するとその内容が動かせないものとなり、後の国家行為を規整することとなるが、この効力があるため、刑事において、一旦確定判決があつた事件について再度審判することは無意味となるから、一事不再理の原則を認めているのである、とされていた。しかし、ことに、旧憲法と異り、現行憲法がその三九条において「何人も……既に無罪とされた行為については、刑事上の責任を問われない。又同一の犯罪について、重ねて刑事上の責任を問はれない」という規定を設けているため、これとの関連において、一事不再理の効力の本質、その範囲等について、更めて検討されることとなり、また「英米法の二重の危険の禁止」の考え方の影響を受けて、最近においては、従来の考え方は大きな修正を加えられつつある。その一つは、一事不再理の原則が認められる理由を、確定判決の内容の基準性あるいは法的安定性ということよりも、むしろ、被告人の利益の保護という点に求めようとする点であり、また、その二は一事不再理の本質につき、これを実体的確定力から切り離して理解しようとする点である（団藤「憲法第三九条と『二重の危険』」法曹時報一巻二号、青柳「犯罪の個数の訴訟法的考察」司法研修所資料四号、同「刑事既判力の客観的範囲」岩松還暦記念論文集訴訟と裁判所収、井上「確定判決の効力」刑事法講座六巻、平野・刑事訴訟法（法律学全集）二八一頁以下、田宮「刑事訴訟における一事不再理の効力」法協七五巻一号、二号及び七六巻一号）。

なお、既判力という言葉は訴訟法学において極めてポピュラーな言葉であるけれども従来必ずしも一様の意義に使用されておらず、多くは、実体的確定力と同義に使用されるが、また一事不再理の効力と同一意義に使用されている場合もあることに注意すべきである。

一事不再理の効力の性質、根拠等について詳細な説示をしている判例としては、昭和二四年五月一八日の最高裁判所大法廷の判例がある。この判例は、本来、所持罪の罪数の問題を取扱ったものであり、後にその箇所でも引用するけれども（判例【18】）、同時にこの判例は、その冒頭において、一事不再理の効力の性質、根拠等について詳論しているので本項においてもこの判例を取上げなければならない。本件において被告人に対する公訴事実は、被告人は法定の除外例なしに、一、昭和二二年一一月一五日頃東京都千代田区神田須田町一丁目一六番地中野物産株式会社で連合国占領軍将兵又は軍属の財産であるペニシリン九五本を所持し、二、同月二五日頃同都中央区西銀座八丁目四番地オーキッド商店内で連合国占領軍将兵又は軍属の財産であるナイロン靴下二八足を所持していたものである、というのであるが、本来被告人は、これらの物品を他の衣類、食料品合計数十点と共に所持していたのであって、昭和二二年一〇月七日家宅捜索を受けた際これらの物品のみ発見押収され、本件物品は被告人が隠匿したため押収を免れ引続き所持していたものであつた。そして右に押収された物品（判例のいう第一事件の物件）の所持については、同年一二月二七日有罪の判決があり、当時確定しているのである。そこで、本件の物品（判例にいう第二事件の物件）の所持罪が既に確定判決を経たものといい得るかどうかが問題となつたのである。この事件において原審は、所持罪における所持は人が物を支配する状態であるから同一人が同時に数個の物を同所に所持する場合、刑法上所持の個数は人を単位として定むべきで、物を単位とすべきではない、同時に同一人の支配内にある物総てを包括して一個の所持が成立するのである、とし、本件には前記の昭和二二年一二月二七日の確定判決の効力が及ぶものとし、旧刑事訴訟法三六三条、四〇七条によつて免訴の言渡をしたのであつた。これに対し最高裁は、免訴を不可とし、事件を原審に差戻した。判示は右に述べたように、一事不再理の効力の性質、根拠から説き起し、所持罪の罪数の定め方、連続犯廃止との関係、憲法三九条の法意等に及んでいるのであるが、ここではまず一事不再理の効力の性質及び根拠に関する部分のみを引用することにする。

【17】「一事不再理の原則は、刑事既判力の一作用に外ならない。元来判決の既判力というものは一旦判決によつて一定の法律関係（刑罰権又は私権）の存否が確定された以上、原則として、爾後は法律上有効にこれを変動せしめないということをその本質とするのである。それが民事においては裁判所は判決により確定された法律関係については、その判決に接着する口頭弁論終決後の事由によるのでなければ、確定判決の趣旨に異る裁判をなすことができないという裁判所に対する拘束力としての形であらわれている。だから当事者は確定判決を経た法律関係についても、新たな事由に基ずかなくても、更に重ねて訴を提起し得るのであ

り、裁判所はかかる訴と雖もこれを不適法として却下することはできない。この場合裁判所は確定判決の趣旨を尊重して、その内容をそのまま裁判の基礎として各場合の事情に適合する判決を為すまでのことである。……然るに刑事においては、公訴は独り検事のみがこれを提起するものであるから、確定判決を経た事件については、有効に再起訴ができないものとし、又裁判所も、これについては免訴裁判を為すべきものとさえして置けば確定判決の既判力は維持せられるのであり、それに人権擁護の意味も加わり、判決の既判力も民事の場合とその姿をかえて、一事不再理という形をとつたのである。だから一事不再理の原則は判決の既判力の一作用に過ぎない。」「民事においては一個の権利関係の一部について訴を提起することが認められている。……これに反し刑事においては人権擁護の見地から検事は一罪の一部について起訴を為し、他の一部についてはこれが公訴を他日に保留して置くというような措置をとることが許されないと解されている。所謂公訴不可分の原則というのがそれである。例えば一個の窃盗行為で衣類と金銭とを窃取した犯人に対して、その衣類の窃盗のみについて公訴を提起し、金銭の窃盗については、その公訴を他日に保留して置くというが如きである。従つて仮りに検事が設例のような公訴を提起したとしても裁判所は検事の保留にも拘わらず、衣類の窃盗と併せて金銭窃盗の部分をも審理し判決を為すことができると解されている。かくて不告不理の原則の例外を認めるかのように見えるのであるが、実は一罪の一部につき公訴の提起があつた以上その全部につき公訴の提起があつたものと見ようというに過ぎないのである。……しかし、その反面、右金銭の窃盗が裁判所の審理中にも発見されず遂に衣類窃盗の点のみについて判決が為され、金銭窃盗の点については全然審判されなかつたような場合においても、この判決の既判力は、金銭窃盗の部分にも及ぶものとせられ、一事不再理の原則の適用を受けることになるのである。かように一面不告不理の原則を後退させると同時に他面一事不再理の原則を前進せしめることとした所以のものは、かく被告人の利害を裁判上按配することによつて、一罪の一部につき不当に刑を免れるもののないように適当な措置を講ずると共に、検事の起訴のやり方によつて一罪につき数度に亘つて処罰される危険から被告人を救済して、人権擁護の理想を現実のものとしようとしたに外ならない」（最判昭二四・五・一八刑集三・六・七九六）。

説示するところ極めて詳細であるが、要するに民刑両訴訟法における既判力の本質は「一旦判決によつて一定の法律関係の存否が確定された以上、原則として、以後法律上有効にこれを変動せしめない」ということにあり、この要求に人権擁護の意味が加つて「刑事訴訟においてはこの既判力が一事不再理という形をとつて現われるものであり、一事不再理の原則は判決の既判力の一作用に過ぎない」とし、一事不再理の効力が一罪の全部に及ぶべき理由は、被告人が不当に罪を免れることのないようにという要求及び反対に被告人が一罪について数度に亘つて処罰されることのないようにという人権擁護の要求とこの二つの要求を満足せしめようとする点にある、としているのである。

すなわち本判例は、一事不再理の効力を確定判決の実体的確定力（判決にいう既判力）の効力と解する大陸法的な考え方に立脚してはいるが、しかも、それが民事訴訟におけるとは異つて一事不再理すなわち実体的審判の拒否という形で認められる理由を、公訴提起の権能の検察官による独占と人権擁護の要求という二つの刑事訴訟に特有な事由に求めており、前記引用文後段にとかれている一事不再理の効力の客観的範囲に関する原則的な問題についての説示においてもまた、一事不再理の効力が、被告人の正当な利益の保護（不当な利益の保護の排斥）にあることを強調しているのであつて、この判決が学説に大きな影響を与えたことは否定できないようである。

三　一事不再理の効力の範囲

従来一事不再理の効力は、主観的には確定判決を受けた被告人に及び、又客観的には、公訴事実の全体に及ぶものとせられた。この見地からは、一事不再理の効力の範囲は、公訴事実の単一又は同一の範囲と同じであると考えられていた。然るに最近において、既述したように、一事不再理の効力を確定判決の実体的確定力(既判力)から切り離し、これと別個の、そして又これとその根拠を異にする効力として理解しようとする説が有力となり、この立場から、従来承認されていたこの原則に修正を加えようとする試みがなされつつある。

かようにして問題は極めて複雑になりつつあるのであるが、しかし、一事不再理の効力の客観的範囲の問題が、公訴事実の単一または同一の問題と全く無関係という訳ではないし、むしろ原則的にはその範囲は公訴事実の単一または同一の問題と一致することになろう。そしてこの公訴事実の単一または同一の問題は、訴因の追加変更の許否の問題、二重起訴の問題とも関連し、更には刑法上の一罪数罪の問題とも関連してくるのである。それ故に、これらの点を考慮に入れれば取上ぐべき判例は極めて多数にのぼるであろうが、他の問題に関連したものはそれぞれ本叢書の他の項目(刑法においては包括一罪、観念競合と牽連犯、併合罪等の項、刑訴においては、公訴事実の同一性、訴因変更の要否等の項)で取扱われることと思うから、ここでは主として単に一事不再理の効力が問題となつたケースのみを取上げ、その他は単に補充的に紹介することとする。またこの効力の範囲に関する原則的説明および一事不再理の効力が一罪の全部に及ぶとされる理由等については前掲【17】の判例を紹介したから、以下において専らその具体的な点に関し判例を見ることとしよう。

(一)　本位的一罪

(1)　継続犯　継続犯とは、法益侵害の状態が或程度継続することによつて成立しかつその状態が継続する限り犯罪行為も継続するものとされる犯罪である。そこで、継続犯については、まずそれがいかなる限度において一罪とされるかということが問題となり、つぎに、継続犯と他の犯罪との関係如何という問題がおこる。

まず継続犯はいかなる範囲において一罪とせられるであろうか。これは横の問題と縦の問題とに分つことができよう。横の問題とは、一定の時を標準として継続犯が単一のものかどうかの問題であり、縦の問題とは時間的に前の状態と後の状態とを分つて考慮すべきかどうかの問題である。所持罪に関し、この問題につき詳細な判示をしたものは、既に一事不再理の効力の性質の項において判例【17】として紹介した昭和二四年五月一八日の最高裁判所の判決である。ただし、一事不再理の効力の本質に関する部分は既に紹介したからここではこれを省略して、専ら所持罪の罪数にかかる部分のみを引用する(事案については前述したところを参照されたい)。判示は二点となる。第一点は、この判例にいわゆる幅員的関係におけるものであり、第二点はその延長的関係におけるものである。第一点を(イ)とし、第二点を(ロ)としてその要旨を紹介する。

【18】 (イ)「所持を行為乃至容態として(これを開始する行為とこれを持続する容態として)観察するときは、その個数は必ずしもその物との間に存在する実力支配関係の個数すなわち物の個数と一致するとは限らない。それは一個の所持乃至容態によつて二個以上の物が包括的に実力支配関係の下に置かれ得るからである。さりとてまた同一人が同時に数個の物に対し実力支配関係を有するのであるから、常に必ず一個の所持しかあり得ないともいえない。それは所持という同種の内容を有する同一人の二個以上の行為が同時に存在することが、あり得るからである。これを要するに所持という行為乃至容態が一個あるのか数個あるのかを決定す

るのは、必ずしも人と物との間に存在する実力支配関係にあるのではなく、その行為乃至容態そのものの形態が社会生活上有する個別性的意義にあるといわなければならない。そしてこの社会生活上における行為の個別性的意義はかかる数的衡量を必要ならしめる社会生活上の要求に立脚して殊に所持を犯罪として観察する場合においては、その刑罰法規手続規定等の立法の目的に立脚してのみ、正当に理解し得るのである。だから所持の個別性を決定せんとするにも、かかる観点に立つてその行為乃至容態の形態を、内心的、物理的、時間的、空間的関係はもとよりその他各場合における諸般の事情に従つて仔細に考察して、通常人ならば何人も首肯するであろうところの、すなわち社会通念によつて、それが人と物との間に存する実力支配関係を客観的に表明するに足る個別性を有するか否かを究め、そこに一個の所持があるか、数個独立の所持があるかを決定しなければならない。……被告人は昭和二二年一〇月七日関係官憲の家宅捜査を受けた際、それ迄一括して所持していた本件物件中、第二事件の物件を取り除け他に隠匿してその発見を免れしめたというのであるから、その間の事情如何によつては、被告人はこれによつて茲に第二事件の物件について新たに別個独立の所持を開始したものと見るべき余地が存在するのである。蓋し被告人のかかる措置行動は、第一事件物件と第二事件物件との所持の形態に別個独立の様相を与え官憲の捜査を妨ぐるに十分であつたことを窺い得るからである。

(ロ) 所持罪が、継続性を有し、延長的に区分し得るということと一事不再理の原則の適用とに関して言及しなければならない問題がある。それは一個の所持罪につき、確定判決があつたにも拘らず、その後なお依然として、その所持罪が継続して犯されている場合、この判決後の延長的一部についても、一事不再理の原則が適用せられるかどうかという問題である。かかる事態は、数個の所持禁止物件を一括して所持されているとき、その一部の物件の所持についてのみ確定判決があり、爾余の物件に対する所持が依然継続せられている場合、若しくは一定の物件の所持罪につき確定判決があつたのであるが、その物件を没収する等、これを取上げる措置が講ぜられなかつたため、爾後も同一物件の所持がそのまま持続せられているような場合に起り得るのである。しかし、刑事判決はその基本となる弁論時における既存の犯罪事実に基ずく国家刑罰権の存否を確定するものであるから、判決の既判力も亦当然にかかる刑罰権の存否の確定に限界せられなければならない。そして、一事不再理の原則は判決の既判力の一作用に外ならないのであるから、この原則の適用せられる範囲も亦判決の基本となつた既存の犯罪事実に限定せられなければならないのである。すなわち、一事不再理の原則の適用に関しては、確定判決を限界として一罪の一部が延長的関係において区分せられるということになるのである。……若し第二事件の物件に対し新たに別個の所持が開始せられたものと認められるならば第一事件における確定判決が昭和二二年一〇月八日以後の第二事件物件の所持罪に対し直ちにその既判力を及ぼすべき理由は存在しないこととなるであろう。尤も該物件についても、同日以前すなわち第一事件物件と共に包括所持せられていた当時の所持罪に対しては、既に第一事件物件の所持につき確定判決があつた以上一罪の一部につき確定判決あつたものとして、その既判力の及ぶべきことは多言を要しないところである。更にまた同日以後第二事件物件につき、新に別個の所持が開始されたものと認められ得るとしても、その所持罪が第一事件物件の所持罪と連続犯の関係にあつたと認められるならば、第一事件の判決の既判力が右第二事件物件の所持罪にもその効果を及ぼすべきであろうことは勿論である。しかし、この場合においてはその間刑法の一部改正によつて昭和二二年一一月一五日以後は連続犯の認められなくなつていることに留意すべきであつて、仮りに第二事件物件に対する新所持罪の同日前の行動について連続犯に関する旧規定が適用せられる結果、第一事件の判決の既判力がその効果を及ぼすものとせられるようなことがあつても、同日以後なお依然として該所持が意識して継続せられている限り、その継続犯たる性質上、たとえ、それが一個の行為の一部であるとしても、独立した一個の犯罪と同様、反社会性ある行動としての存在価値を具有しているのであるから、法律が連続一罪として処断することを廃止した以後の行動については、これも連続犯と認めらるべき他の一部から独立して処罰の対象となし得るものと解するのが相当であろう。従つて当該部分の行動に関しては不告不理の原則が適用せられ、仮りに第一事件当時裁判所において、たまたま、これを発見したとしても、公訴の対象とせられていなかつた関係上、これを処断し得なかつたのであり、これと同時に反面、一事不再理の原則はその適用を見ないこととなるから、第一事件の判決の既判力はその効果を及ぼすべきでないといわざるを得ない。（そして本件公訴は右連続犯の廃止せられた日以後の所持のみをその対象としているのである。）さて、かかる見解をとるとすれば、確定判決後なお処罰の対象となつた所持が継続せられている場合と同様、一個の所持が再度処罰の対象となる可能性を肯定することとなるのであるが、検事の起訴のやり方によつて一個の行為が数度処罰の対象となる場合とは異り、何等不当な結果を惹起するものではなく、又憲法第三九条後段の規定の精神にも反するものではないのである。蓋し憲法の右規定は、継続犯のような犯罪において、確定判決後又は刑罰法規の改正実施後なお意識的に独立した犯罪と目せらるべき行動を敢えて継続するものに対してまでその刑事上の責任を問わないというような不合理を要求する筈がないからである」（最判昭二四・五・一八刑集三・六・七九六）。

右が多数意見であり、これに対しては真野、斎藤両裁判官の少数意見がある。

右判示が(イ)の部分において、所持という行為乃至容態が一個か数個かを決定する基準は必ずしも人と物との間に存在する実力支配関係にあるのではなく、その行為乃至容態が社会生活上有する個別性的意義にあり、そして、その社会生活上における個別性的意義はこのような数的衡量を必要ならしめる社会生活上の要求に立脚して決すべきであり、殊に所持を犯罪として観察する場合には、その刑罰法規、手続規定等立法の目的に立脚してのみ正当に理解し得る、としている点は寔に正当であると考える。ただ更に進んで、これを社会通念に置きかえることは、蛇足というよりはむしろこれによつて折角の論旨を不明瞭ならしめたきらいがある。真野裁判官がその少数意見中において、所持の数をきめる社会通念なぞいうものは、実証的・経験的に見て社会のどこにも存在してはいないとしているのは正しいと思う。

判示中(ロ)の部分は、いわゆる延長的関係において、確定判決後の所持は別罪を構成するものとしているのであつて、従来連続犯について肯定されていたところを所持罪に及ぼしたものといい得べく、正当と思う。なお本判決が、右のように解することが憲法第三九条に違反しないと判示していることを注意すべきであろう。

さてこの判例は、所持罪の個数に関するその後の判例に多大の影響を与え、その考え方において同趣旨の判例が多く出ている。そのうち、判示(イ)の点すなわち幅員的関係において生ずる犯罪の個数の問題については、次のようなものがある。ただし、いずれも一事不再理の効力が問題とされた事案ではない。

【19】「所持罪は不法所持という現実の事実によつて、成立するものであり、且つ所持の開始が数回に亘る場合でも必ずしも所持開始の回数と同数の所持罪が成立するものではなく、所持が一個なりや否やは社会の通念によつて決すべきである」（最判昭二四・一二・六刑集三・一二・一八七七）。

これは数回に亘り連合国占領軍の物資を買受け所持していたという事案であつて、本判決は右の如く判示した上、原審に審理不尽および政令の解釈を誤つた違法があるとしている。

【20】「所持という行為乃至容態が一個あるのか数個あるのかを決定するのは、必ずしも人と物との間に存在する実力支配関係にあるのではなく、その行為乃至容態そのものの形態が社会生活上有する個別性的意義にあるといわなければならない」（大阪高判昭二五・九・三〇特一五・七五）。

右は、被告人が他人から売却方を依頼されて当初五種の麻薬合計七本の交付を受け所持していたが、後そのうち五本を返還し残り二本のみを所持し、更にその後、同人からさきに返還したもののうち一本および新たに三本を預り、前の二本と共に自宅に保管しておき、これらを一括して別の他人に手渡した事件に関するものであり、右の如く判示し、被告人の行為を包括一罪と認め訴因の追加を許した原審の処置を適法とした。

【21】「本件に付之を見るに被告人の自宅は福岡市下桶屋町七番地であるが同時に同市馬場新町に露店を開き日日自宅から同所に出張し自宅から持参した猥褻文書を同所で販売していたものである。かかる場合自宅における猥褻文書の所持も、同露店における所持も、その場所こそ異れ販売の目的を以てする猥褻文書所持罪の文法の趣旨を考慮し社会通念に従い目的論的観点に立ちて解するときは一個の所持であつて二個の所持に非ずと断ずるを相当とする」（福岡高判昭二七・二・二五刑集五・二・二四九）。

【22】「およそ所持という行為乃至容態が一個あるか数個あるかを決定するのは、必ずしも人と物との間に存する実力支配関係にあるのではなく、その行為乃至容態が社会生活上有する個別性的意義にあり、殊に所持を犯罪として観察する場合においてはその刑罰法規、手続規定等の立法の目的に立脚してのみ正当に理解し得るのである（昭和二三年（れ）第九五六号、同二四年五月一八日大法廷判決参照）。この理を推せば、物の所持の継続中新たにその物の所持を禁止する刑罰法規が施行せられた場合においては、爾後法的評価を異にした別個独立の所持が成立するものと解するを相当とする。而してその施行後継続せられる所持に対しては法令上特にその適用を除外する明文の存しない限りその新法規が、適用せられるのは当然である」（最判昭二八・三・二〇刑集七・三・六〇六）。

この判例は、被告人が、終戦前から、当時の関係法令によつて適法に所持していた麻薬を、麻薬取締法施行後も継続して所持していたという事案に対するものである。

【23】「被告人は、はじめ塩酸モルヒネ末五瓦入の瓶三本を所持していてその塩酸モルヒネ末の中の一部宛を順次相被告人内田に交付し注射液の製剤を依頼したものであること所論のとおりとしても、被告人はその後再び注射液として所持するに至つたことが認められるから、このような場合粉末全体の所持と注射液の所持とは別罪をなすと解することは不当とはいえない」(最判昭三〇・四・一九刑集九・五・八五五)。

右は原審(名古屋高裁)が、右粉末の所持と注射液の所持とを併合罪とし処断したのを支持した判例である。

【24】「論旨第二点は、原判決が右の両者を別個独立の二つの所持と解したことを以て判例違反と主張するけれども、原判決はむしろ所論判例の趣旨に従つて右のような結論に到達したものであること判文自体によつて明らかであつて、その判断は正当である」(最判昭三〇・七・一九刑集九・九・一八八五)。

右は、被告人が最初塩酸モルヒネを自宅に保管していたが、その後、一部を他人に交付し、残りを自宅外場所に移して隠匿し、更にこれを他人に預けて保管させていたという事案について生じた二重起訴の問題について、原審たる東京高等裁判所が「麻薬の不法所持罪の罪数を定めるについては、所論引用の最高裁判所昭和二十四年五月十八日大法廷判決(刑集三巻七九六頁)の判示する如く、刑罰法規、手続規定の立法の目的に立脚し、人と物との間にある実力支配関係と、人が物を行為乃至その容態の形態を、内心的、物理的、時間的、空間的等の諸般の事情によつて観察し、社会通念によつて決すべきであり、人が自宅に多数の物を漫然と保管するときは、包括的に一個の所持と見て差支ないのであるが、或種のものを他の物と区別して秘密の場所に隠匿するとき、自宅と自宅外の店舗に保管するとき、或物を自ら保管し、その他の物を他人に寄託して保管するとき等には数個独立の所持があるものと解せられ、又当初一個の所持により包括して保管されていた数個の物が、後に分割せられ、数個の所持となることもあり得るのである」として、自宅外に移し更に他人に預けて保管させた事実を、従来の自宅における所持とは別個独立の所持となつたもの、としたのを支持した判例である。

また判示(ロ)の点すなわち延長的関係において生ずる犯罪の同一性の問題については次のものがある。

【25】「継続犯を構成する事件につき判決の為された時は、その判決の既判力(実質的確定力)の及ぶ範囲は、事件の単一且つ同一である限り、その全部にわたることは勿論ではあるが、若し、継続犯がその判決の前後にまたがり行われた場合には、その既判力の範囲は、原則として、事実審理の可能性ある最後の時、すなわち、第一審判決言渡の当時(例外として、上訴審における破棄自判の場合の判決言渡当時)を限界とし、それまで行われた行為については既判力が及ぶが、その時以後に行われた行為については既判力は及ばないものと解するのが訴訟法の理念と刑事政策の見地からして最も合理的であると考えられ、従つて、その判決言渡後に行われた行為に対しては、更に新たな公訴の提起が許されるばかりでなく、又それは実体法的にも社会通念上、判決言渡前の行為とは別個独立の犯罪を構成するものと解するのが相当である。(大審院昭和八年三月四日言渡判決、同昭和九年三月十三日言渡判決、最高裁判所昭和二十四年五月十八日言渡判決各参照)もつとも、原審は、継続犯は元来分割不可能な単一行動であるから、右の様な場合、これを判決言渡の前後に分割し、独立別個の犯罪と認めることは、事実上不可能であり、従つて、判決の既判力も、判決言渡の前後を問わずその全部に及ぶ旨判示するのであるが、既判力の範囲をどの程度に認めるかということは、結局叙上の如く訴訟法の理念と刑事政策の見地から合目的に決めらるべき訴訟法上の問題である点に注目すれば、以上の如き解釈の可能であるばかりでなく、より合理的であることが容易に了解できよう。原判示の如き判決言渡後の行為にして、事実上審判の対象となり得ない事実にまで既判力を及ぼし、不当に犯人に利益を与えることは刑事訴訟法を支配している正義の許さないところというのほかはない」(大阪高判昭二七・九・一六特二三・一〇八刑

（集五・一〇・一六九五）。

事案は所持に関するものではなく、外国人の登録不申請罪にかかるものであり、被告人が登録不申請罪により既に有罪の確定判決を受けたにも拘らず、その後も引続き本邦内に居住しながら登録申請を行わなかつたので、検察官がこの事実につき更に公訴を提起した場合にかかるものであり、原審（京都地方裁判所）が登録申請義務違反は、不可分的に継続し、同一外国人について数個の登録申請義務を認めたり、継続する時の流れを分割して、それぞれについて、別個の義務違反を考えたりする余地はないとし、右確定判決の効力は本件の公訴事実にも及ぶとして免訴の言渡をしたのに対し、登録不申請罪が継続犯たることを肯定しつつも（この点は他にも同旨の判例がある。例えば同じ大阪高等裁判所の昭二六・六・一及び同二七・一〇・七判決の他、福岡高判昭二六・五・二四その他後出**五**の二の(三)の(イ)参照）、右判示の如き理由により、免訴を不当として原判決を破棄し自判した。なお本判決が、既判力の範囲の限界点につき、原則として事実審理の可能性ある最後の時、すなわち第一審判決言渡の当時（例外として上訴審における破棄自判の場合の判決言渡の当時）としていることを注意すべきである。

【26】「売春をさせる目的で婦女を雇入れている者は右の雇入れの状態を廃止しない限り同条令（横浜市風紀取締条例―筆者註）七条違反の状態は継続するものであり、かかる犯罪に対してはその間に確定判決があつてもすくなくとも右確定判決以後の所為は独立の罪を構成し新たに起訴の目的となるものであることはいうまでもないところである」（東高判昭二八・三・三〇東京高時報三・四・一四一）。

この判例は、原審が、雇入れ行為については、すでに略式命令が確定しており、略式命令が確定したときは、確定判決と同一の効力があることは刑事訴訟法四七〇条によつて明白であるから、本件は確定判決を経た事実に対し更に起訴があつたものと認むべきであるとして免訴の言渡をしたのに対する控訴審の判決であり、原審の免訴判決を破棄している。同じ東京高裁の次の判例もまた同趣旨である。

【27】「或婦女に売春させる目的で或期間雇入れていた行為が処罰され、その判決が確定した後も依然同一婦女を引続き同一目的で雇入れている状態が存在すれば、それは別個新たな犯罪行為を構成するものというべく、確定判決の既判力はこれに及ばないものでこの新たな事実は先の事実と同一事実と解すべきではない」（東京高判昭二八・四・一一判タ三一・七八）。

以上の場合と反対に、継続犯において確定判決のあつた事実の前に行われていた事実については、その確定判決の効力がこれに及ぶものとされることは当然であろう。この点に関連して登録不申請罪について次の判例がある。

【28】「外国人の登録を受け、その登録証明書の交付を受けている者が、昭和二十四年政令第三八一号附則第二項所定の期間内にあらたに登録証明書の交付を申請しなかつた場合に、しかも従前の登録証明書を紛失していながら、昭和二十七年法律第一二五号外国人登録法第七条所定の再交付の申請をしなかつたものとして、再交付不申請について有罪の確定判決を経たときは、前に成立したところの、あらたに登録証明書の交付を申請しなかつた事実について公訴の提起があつても、右確定判決の既判力は、後に審判される右の事実について当然に及び、これに対し重ねて処断することはできないものと解すべきである」（福岡高判昭三一・一一・一四高裁特報四・二二・六〇三刑集一〇・九・七三九）。

外国人登録証明書の交付を申請しないという犯罪が継続犯とされていることについては前述の判例【25】に関連して述べたとおりである。本判例は、このことを明言していないが、恐らくは、同様の見解に立つて、判示の如く、後の紛失による再交付不申請罪についての確定判決の既判力が、それ以前に成立していると考えられる昭和二四年政令三八一号附則二項所定の期間内に新たに登録証明書の交付を申請しなかつたという事実にも及ぶという結論を出しているものと推察される。しかし、本判例のような場合には登録証明書の交付を申請する義務の発生する根拠がそれぞれ別であると考えられるから、この判例の結論には疑問がなくはない。

(2)　常習犯と慣行犯　　常習犯とは、犯人の常習性が構成要件的評価の対象中に加えられ、構成要件的要素となつている犯罪である。

常習犯においては、反覆してなされる行為はそれ自体として重要であるのではなく、むしろ常習性の表示として意味を持つ。故に行為を数回反覆しても常習犯として一個の犯罪が成立するものとすることは判例の終始変らない態度である(最高裁のものとしては昭二六・四・一〇刑集五・五・八二九がある)。したがつて、常習犯として確定判決があつた場合に、現にその常習性の表示として認められた行為については、その全体に一事不再理の効力が及び、この行為が再度起訴された場合に免訴さるべきは多言を要しないであろう。

しかし次の二つの場合に問題を生ずる。一つは、ある行為につきその行為を常習犯でないものとして確定判決があつた後に、その前の行為とその後の行為とが併せて起訴され、裁判所がその前の行為もその後の行為もともに常習性の表明たる行為であると認定した場合に、その前の行為につき刑法四五条後段の適用があるかどうかの問題であり、その二は、ある行為につきこれを常習犯とした確定判決があつた場合に、その前の行為またはその後の行為が起訴された場合に、それらに確定判決の効力が及ぶかどうかの問題である。前の場合は刑法四五条後段の適用の問題で免訴に関係するところがないが、参考のために述べれば、昭和二七年三月二〇日の広島高裁岡山支部の判決（刑集五・三・四二四）、昭和三二年一〇月二一日の大阪高裁の判決（高裁特報四・二〇・五四二）はいずれも、前の行為と後の行為とを常習犯と認める以上は、その間に確定判決が介入しても、全体を一罪として処断すべきもので、これを確定判決の前後により両分して各別に処断すべきものではないとしている。

しからば後の場合、すなわち既にある行為を常習犯と認めた確定判決があつた場合、その行為の前に犯された行為またはその後に犯された行為が新たに起訴された場合はどうであろうか。この点に直接ふれた判例はないようであるが、ただ次の判例は、この点につき参考となるものと思うので紹介する。この判例は常習犯として起訴された数個の行為につき常習犯たることを認めた判決があつたが、その未確定の間に、右の常習犯と認められた行為の後でかつ右の判決言渡前に行われた同種の行為が発覚し新たに起訴された場合に関するものである。

【29】「盗犯等の防止及び処分に関する法律第三条の常習累犯窃盗の罪は反覆累行して同条所定の条件による窃盗をなす習癖をいいその行為が数個ある場合でも単純一罪を構成するいわゆる集合犯であるからその同一性を害しない限りその公訴の効力は事件即ち右公訴事実の全体に及びまた判決の既判力もその全体に及ぶのであつてその公訴の効力の及ぶ範囲内において裁判所は検察官の請求があるときは起訴状に記載された訴因又は罰条の追加、撤回又は変更を許さなければならないし、また裁判所は審理の経過に鑑み適当と認めるときは訴因又は罰条を追加又は変更を命ずることができるのであるがその効力の及ぶ範囲内の行為と認められる限りその行為についてはたとえ訴因を異にしても再度の公訴提起及び審判をすることは許されないわけである。

そして常習累犯窃盗事件の公訴の効力及び判決の確定力の時的限界は事実審理の可能性ある最後の時すなわち刑事訴訟法第三百十三条第一項の法意よりして判決言渡の時を標準とすべきであつてそれ迄に行われた行為については公訴の効力及び既判力が及ぶのである」（札幌高判昭二八・一一・一九刑集六・一二・一七三〇）。

右判例は、被告人が昭和二七年九月一八日より同年一一月一三日迄に七回に亘り窃盗を行つた事実につき昭和二七年一二月九日及び同二八年一月一七日の二回にいずれも常習累犯窃盗として分割起訴せられ、裁判所はこれを併合審理して、昭和二八年三月四日常習累犯窃盗として有罪の判決をしたところ、同被告人には昭和二七年一一月一六日にも住居侵入窃盗の犯行ありとして昭和二八年四月九日検察官において他の事実と共に本件第二事実としてこれを起訴した、という事案に関するものであり、右の如く判示した上、右住居侵入窃盗行為は、既に判決があつた常習累犯窃盗事件における最後の犯行よりも後になされた行為ではあるが、この常習累犯窃盗事件に対する起訴および判決言渡の前になされた犯行であるから、右住居侵入窃盗に関する公訴は棄却すべきものである、としているのである。

右によつて知られる通り、本件においては直接は公訴の効力が問題となつているが、判例は同時に常習犯を認めた判決の既判力も判決言渡の時を限界とすべきであり、それまでに行われた行為には既判力が及ぶとするのであり、その反面において、その後に行われた行為については判決の効力は及ばないとしているものと解せられ、そしてこの結論は正当であろう。

常習犯に似たものに慣行犯がある。これは犯罪と目せられる行為が慣行的に行われている点で、常習犯に類似しているが、常習犯においては常習性が構成要件的評価の中に加えられているのに反して、慣行犯においてはその慣行性は、構成要件的には評価の中に入れられず、ただその慣行性の故に数個の行為が単一の犯意の下に行われているものと解せられるため、包括一罪として取扱うものとせられるにすぎない。麻薬中毒患者が、中毒症を緩和するため連日麻薬を施用した場合に、特にその間犯意の断絶を認むべき事情のない限りは、犯意は単一のものと解し、連日繰返された行動は法律上一個の行為となすべきものと判示したものに、仙台高判昭二五・八・三一特一二・一五九がある。しかし慣行犯につき一事不再理の効力が問題となつた事案に関する判例は見当らない。

(3)　営業犯と職業犯　共に反覆継続の意思をもつて一定の行為を行うことによつて成立する犯罪であり、営利を目的とするものは営業犯、そうでないものは職業犯である。現に反覆して行われた行為が数個ある場合にも、そのそれぞれが別個独立して観察されず全体が一罪と考えられる点で、一種の集合犯であるが、常習犯のように常習性というような犯人の主観的な性癖によるのではなく、行為自体の反覆継続性に着目して構成要件ならびに処罰が規定されている点に特色を有し、それ故にまた、その現に行われた数個の行為は包括的に一罪と考えられるのである。しかし、いかなる犯罪が営業犯または職業犯であるかは必ずしも明瞭でない。営業犯または職業犯と目すべきものにつき一罪とすべきものとした判例は、貸金業でないものの反覆して行う貸金につき仙台高判昭二五・一一・二九、同昭二七・六・三〇、広島高松江支部判昭二六・九・二六、東京高判昭二八・七・一四、登録を受けない者の医薬品販売につき広島高判昭二七・四・三〇、児童に淫行をさせる行為につき福岡高判昭二七・一二・一三、大阪高判昭二八・三・一一、東京高判昭二九・九・二九、ウィスキーの無免許販売につき東京高判昭二五・一二・二五、無免許酒類製造につき仙台高判昭二六・四・三〇、同昭二七・四・一二、高松高判昭二七・二・二九、福岡高判昭二七・三・八、最判昭二八・一〇・二三、等があるが、これらの事件においても下級審においてはこれを併合罪としているのであり、また最後の無免許酒類製造については、異つた種類の酒を密造した場合につき仙台高判昭二七・七・二六、仕込の時期を異にした別個の原料と別個の器具を使用した濁酒の製造につき最判昭二八・四・二一、焼酎を製造しその一部を原料として合成酒を製造した場合につき最判昭二九・二・二七、同昭二九・四・三〇、等は数罪であるとしている。以上掲げた判例からも窺えるように、罪数論そのものとしては、営業犯あるいは職業犯につきなお検討を要するものが相当多いと思われるが、一事不再理の効力との関係で特に営業犯あるいは職業犯が問題となつた事例は見当らないようである。

(4)　接続犯その他包括一罪　以上述べた外、接続犯その他包括一罪について、それが如何なる範囲において認められるかは罪数の問題を考える上において極めて重要な問題であり、これに関する判例も極めて複雑多岐に亘るけれども、これについては、他の担当者によつて詳細に検討されることがあろうし、他面これらの判例の中には直接一事不再理の効力に関するものは見当らないから、本項においては、既に本章の初めにおいて述べたような理由により、これ以上立入らないことにしたい。いずれにしても、少くとも原則論としては、行為が包括一罪の一部と考えられる限り、一事不再理の効力はこれに及ぶものとさるべきであろう。

（二）　処断上の一罪

処断上の一罪としては観念的競合・牽連犯および昭和二二年法律一二四号による刑法五五条削除前の連続犯がある。これも、本位的一罪と同様罪数論としては極めて問題が多いが、すべてこれをそれぞれの項にゆずり、確定判決の効力が問題となつたもののみにつき説明し、他は必要に応じその重要なるもののみを引用するに止める。

(1) 観念的競合　左の判例は、ある罪につき確定判決があつたときは、これを観念的競合に立つ他の罪については、仮令その確定判決中において裁判所の判断を受けなかつた場合でもこれに関する公訴は免訴さるべきものとしている。

【30】「右反則輸出ノ行為ハ其ノ構成要件中輸出ナル部分ニ於テ共通スルトコロアルヲ以テ被告人佐藤篤一及同佐藤むなカ金地金ヲ密輸出シタル所為ハ一面大蔵大臣ノ許可ヲ受ケスシテ金地金ヲ輸出シタル罪ニ該ルト共ニ一面関税ノ通関手続ヲ経スシテ金地金ヲ輸出シタル罪ニ該リ則チ一個ノ行為ニシテ外国為替管理法第一条第二号同第五条外国為替管理法ニ基ク命令ノ件第一条第一項ニ触ルルト共ニ関税法第七十六条ニ触ルルモノトシテ刑法第五十四条第一項前段ヲ適用処断スヘク密輸出ヲ幇助シタル被告人土屋宇太郎同大槻道治同南徳治ニ対シテモ右ノ法条及幇助ノ法条ヲ適用処断スヘキ場合ナリト謂ハサルヘカラス今之ヲ一件記録ニ徴スルニ本件起訴事実ハ右ノ関係ニ於テ既ニ外国為替管理法違反又ハ同法違反幇助事件トシテ起訴セラレタルモノニシテ而モ其ノ裁判確定シタルモノナルコト明カナルトコロナレハ原審カ本件被告人等ニ対スル関税法違反又ハ同幇助ノ公訴事実ハ既ニ外国為替管理法違反事件トシテ確定判決ヲ経タル事実ト右ノ関係アルモノト認メ被告人等ニ対シ免訴ノ言渡ヲ為シタルハ洵ニ正当ナリ」（大判昭一三・一〇・二七刑集一七・七六六）。

(2) 牽連犯　従来の判例によれば、（その表現は必ずしも一致しないが）数個の犯罪の間に牽連関係ありとされるためには、単に具体的場合に事実上一つの行為が他の行為の手段又は結果となつているだけでは足りず、その行為の間に、抽象的に観察し、罪質上普通手段又は結果たる関係が存しうることが必要だとされる。そしてこの見地から、住居侵入とその目的たる窃盗、強盗、強姦、殺人、傷害、放火との間、文書偽造とその偽造文書行使及び詐欺等の間には牽連関係が認められているが、窃盗教唆と贓物罪、不法監禁と強姦罪、賭場開張と賭博、殺人と死体遺棄等の間には牽連関係が否定されている。ところでこの牽連犯の限界の問題は、一方において包括一罪および観念的競合と、また他方において併合罪との関係において生じ、ここでも各種の犯罪について複雑な問題を生ずるのであるが、確定判決の効力との関係で牽連犯か否かが問題となつたケースに次のようなものがある。

【31】「政府ニ納入スヘキ葉煙草ヲ他ニ譲渡スル行為ハ煙草専売法ニヨツテ保護スル政府ノ煙草専売権ヲ侵害スルモノナレバ他人ノ財産権ヲ侵害スル葉煙草ノ窃取行為トハ各犯罪ノ性質上手段タリ若クハ結果タル関係ヲ有セサルモノトス左レハ仮令葉煙草ノ窃取カ政府ニ納入スヘキ葉煙草ノ譲渡行為ニ対シテ具体的ニ手段タリ若クハ結果タル関係アリトスルモ右二個ノ行為ニ各独立シテ別個ノ罪ヲ構成スヘク刑法第五十四条第一項後段ニ所謂犯罪ノ手段若クハ結果タル行為ニシテ他ノ罪名ニ触ルルモノトシテ一個ノ牽連犯ヲ以テ処断スルモノニ非ス」（大判明四三・一〇・二五刑録一九・二九一）。

事案は、被告人が、煙草耕作人渡井利作方から政府に納入すべき葉煙草二貫三百匁を窃取し、これを他人に譲渡した、というものであり、本判例は右の如く判示し、右葉煙草窃取につき処刑せられたとしても、その譲渡行為については、刑法五〇条により更に裁判すべきものとしている。

同様葉煙草の窃取に関連して次の判例を挙げなければならない。

【32】「窃盗罪というものは他人所有の物を他人の占有を侵して自己の実力支配内に移す行為であるから

目的物の所持ということと不可分の関係にはあるけれども、窃盗罪は右実力支配の移転そのものを処罰するものに過ぎないのであるから、窃盗行為が既遂となつた後の盗品の所持が更に他の法益を侵害する場合には窃盗の外にその他の罪を構成するものと解するを相当とする。

さて窃盗罪の他に前記煙草専売法所定の所持罪(以下単に所持罪と略称する)が成立するとして……右説示のように窃盗罪が占有の移転行為自体を内容とし、所持罪が之に続く爾後の占有状態を対象とするものである以上、両者相次ぐ関係であつて一個の行為の両面という関係ではないから、両者を想像的犯罪ということはできない。

然らば両者は手段結果の関係ある場合即ち所謂牽連犯であろうか。成る程本件において葉煙草の所持は葉煙草窃取の結果たる行為であることは勿論である。然し乍ら或る犯罪と他の犯罪との間に刑法第五四条第一項後段の関係があるということが云える為には一般的に云つてその両罪の間に通常手段結果の関係がなければならないのであつて特定の場合の具体的関係だけから論ずるのは当つていない。……窃盗罪というものと法定の除外事由がなく葉煙草を不法に所持する罪との関係も同様であつて、その間に通常の牽連性は存しないから両者は牽連罪ではない。

前記窃盗罪と所持罪とが共に成立し、而も両者は想像的競合罪でも牽連犯でもないということになれば当然の結論としてそれは各独立の犯罪即ち併合罪であると云わねばならない」(広島高判昭二五・一二・一五特一四・一五八)。

本件において、被告人は、法定の除外事由がないのに販売の目的で昭和二三年八月三一日広島県豊田郡豊田村和木の自己居宅に、他より窃取した黄色種葉煙草火干本葉一等品二十一瓩五百瓦、同火干本場二等品二十瓩六百八十七瓦を隠匿所持していたものである、という事実について、昭和二四年五月六日尾道簡易裁判所に起訴され、罰金及び追徴金の略式命令を受けたが、正式裁判の申立をなし、公判審理の結果、昭和二四年九月二二日罰金千円追徴金九万五千百二十五円の判決を受けた(これが本件原審の判決)。ところが被告人はこれよりさき昭和二三年九月一一日に同じ裁判所で、昭和二三年八月三〇日午前二時半頃同部落の農業安原郁次方で乾燥葉煙草約十一貫余時価七千五百円位を窃取し、これを自宅に持ち帰り隠匿していた、という事実について、刑法二三五条、二五条により、懲役一年但し二年間執行猶予の判決を受け、この判決は昭和二三年九月一四日確定した。そこで、本件の公訴事実につき既に確定判決があつたものとなるかどうかが問題とされるにいたつた訳である。

本判例は、前記のごとく、葉煙草の窃取とその所持とを併合罪としつつも、右の判示につづいて、前記確定判決は、葉煙草所持の事実についてもまた判決したものとして、結局免訴の判決をしているのであるが、本判例のこの部分は、ある事実につき公訴の提起ありまた判決があつたかどうかの認定の問題であるので、後にあらためてこの点に言及したい(後出【43】参照)。

次に方面を変えて外国人登録令違反について見よう。ここでは登録不申請罪と登録証明書不携帯罪との関係が問題となつている。

【33】「刑法第五四条後段にいう「犯罪の結果たる行為」とは或犯罪より生ずる当然の結果たる行為を指すのである。ところで本件起訴にかかる事実は被告人は朝鮮人であつて幼少の頃より引続き本邦に居住している者であるのに未だにその居住地を定めて法務総裁の定めるところにより所要事項の登録の申請をしないものであるというのであつて外国人登録証明書は所要事項の登録を申請して始めて申請者に交付する建前であるから、被告人の如く最初から所要事項の申請をしないときは該不申請という不作為犯の当然の結果として外国人登録証明書不所持という不作為を生ずるのである。従つて外国人登録不所持の罪は外国人登録不申請の罪の結果たる行為として之と牽連犯の関係に立ち一罪としての取扱を受けるものと云わなければならぬ。

然るに被告人は昭和二五年一二月二九日佐須奈簡易裁判所において外国人登録証明書不所持の罪により略式命令を以て罰金千円に処せられ該命令が昭和二六年一月八日確定したことは記録上明らかであるから、右略式命令の既判力は牽連関係に立つ本件起訴にかかる外国人登録不申請の事実に及ぶものと云うべく従つて本件については刑事訴訟法第三三十条第一号に則り被告人に対し免訴の言渡をしなければならない筋合であるのに原審が被告人に対し有罪の言渡をしたことは法令の適用を誤つたもので論旨は理由がある」（福岡高判昭二六・一二・二六特一九・五六）。

【34】「原裁判所は、被告人は外国人登録令第十一条第一項の規定によつて外国人とみなされる朝鮮人であつて、昭和二十二年度松山市で外国人登録を受けていたものであるが、その後引続き本邦に居住しながら同二十五年一月中に行われた登録切替の際法定の期間内に所定の登録証明書交付の申請をしなかつたものであるとの起訴状記載の事実を認定して被告人に対し外国人登録令違反罪として昭和二六年七月二日懲役三月に処する旨宣告している。ところが、これより先き同年一月二十四日宇部簡易裁判所は被告人に対し被告人が同二十五年十二月二十八日広島市から宇部市に旅行するに際し宇部電車内において外国人登録証明書を携帯していなかつたことの事実によつて罰金二千円に処する旨の判決を宣告し、その判決は当時確定していること記録に徴して明らかなところである。従つて、外国人登録証明書交付の不申請罪が仮令継続犯であるとしても本件審判の対象である訴因は右に示したように昭和二五年一月中に行われた登録切替の際法定の期間内（昭和二十四年政令第三百八十一号附則第二項参照）と限定しているかぎり、右登録証明書交付の不申請という不作為と宇部簡易裁判所の前記確定判決の内容である登録証明書不携帯の間には正に手段結果の関係があり、単一かつ同一事実であるから宇部簡易裁判所の判決の確定力は本件についても及ぶものであること勿論である。即ち本件起訴状記載の事実については既に確定判決を経ているが、原裁判所としては被告人に対して刑事訴訟法第三百三十七条第一号によつて免訴の言渡をなすべきところであつたに拘らず更に有罪の判決をなしたのは、法令の適用に誤があつてその誤が判決に影響を及ぼすこと明らかである」（福岡高判昭二七・二・一六特一九・

三六)。

右二判例とも福岡高裁の判決であり、右判示によつて知られるように、事案の内容も判決の趣旨もほぼ同様である。

以上のようにこの二つの判例は、登録申請をせず従つて登録証明書を携帯していなかつた場合につき、不申請罪と不携帯罪との両罪の成立を認め、かつこれを牽連犯とし、従つて不携帯罪についての確定判決の効力は不申請罪に及ぶものとするのであるが、ここに一個の疑問を生ずる。それは、登録の申請をしない外国人は登録証明書を入手することはできないから、登録の不申請ということがある以上証明書の不携帯ということは当然予定されていることであり、登録を申請しない者について、その不申請を処罰するのは格別、証明書の不携帯を処罰するということは、不能な事項を命じた上その違反に対して刑罰を科することになりはしないか、という疑問である。この点からであろうか、青柳教授は、右判例【34】に対して、『登録証明書の不携帯は、登録申請を前提とするから、不申請という行為があれば不携帯はそれ自身罪とならないとすべきであり、このような場合にはむしろ前の確定判決を再審によつて覆すべきではなかつたかと疑われる』とされる(同教授前出「既判力の客観的範囲」八二―三)。

このような疑問に関連して、私はここで次の大阪高裁の判決を挙げておかねばならない。事案は同じく外国人登録令違反に関するもので、登録証明書を他に譲渡したため、これを携帯していなかつた場合である。

【35】「外国人登録法第一三条第一項に「外国人は、常に登録証明書を携帯していなければならない。」と

は、登録証明書の交付を受け、これを携帯し得べき立場にある外国人は、常時この登録証明書を携帯しなければならないという趣旨であつて、たとえ登録証明書の交付を受け、これを受有するものであつても、他へこれを譲渡し、もはや事実上その携帯の不可能な立場にある者に対してまで、その携帯を命じている趣旨ではない。けだし法律は不能を強いるものではないから、かかる者には、登録証明書の紛失、盗難、滅失等のあつた場合と同様、同法第七条による登録証明書の再交付申請義務はあつても、証明書の携帯義務はないものと解せられるからである。すると本件の場合において、被告人が自己の登録証明書を他に譲渡し、もはや事実上これを携帯することのできない立場にある者であることは、記録に徴し明白なところであるから、被告人の登録証明書譲渡罪は成立しても、右譲渡後における不携帯の事実につき、同条にいわゆる登録証明書不携帯罪は成立しないものといわなければならない」（大阪高判昭二九・一一・三〇刑集七・一二・一七三九）。

この判例は、右のように、登録証明書を譲渡した者は、これを携帯することは事実上不可能であるから、登録証明書の不携帯については犯罪は成立しないとしているのであり、譲渡罪と包括一罪になるというのでもなく、また譲渡罪に吸収されるというのでもない。この考え方を前記判例【33】及び【34】の事案に適用してみれば、登録証明書の交付を申請しない者についてはその不携帯を罰することはできない、という結論が判例【35】の場合よりも一層容易に肯定できそうである。なんとなれば、譲渡の場合には、場合によつてはこれを取戻して携帯するという可能性が考えられるが（法律的には譲渡は無効であり、譲受けた者は返還する義務があり、譲渡した者は、譲受人に対しては返還請求権が、国家に対しては譲受人から取戻しこれを携帯する義務があると解せられよう）、不申請の場合には、申請をしないかぎり携帯は絶対に不可能であるからである。

しかしそう考えた場合に二個の問題が起る。一つは、前記青柳教授の示唆されるようにこのような不申請に伴う不携帯を有罪とする確定判決がある場合にこれを再審によつて取消し、その効力を奪うことができるであろうか、という問題、他はそれが取消されない間の効力はどうか、という問題である。

刑事訴訟法四三五条六号によれば、有罪の言渡を受けた者に対して無罪免訴等の判決を言渡すべき明らかな証拠を新たに発見した場合に再審の請求ができるのであるが、今問題のケースのような場合に、証拠を新たに発見したとき、といい得るかどうか。恐らく判例【34】の場合に、不携帯罪だけが起訴され処罰されたのは、登録不申請ということが当時何かの事情で判らなかつたためであつて、その確定判決後これが判明したため、更に不申請について公訴が提起されたのであろう。しかしこのような場合が右四三五条六号にいう証拠を新たに発見したときに該当するかどうか疑問がなくはない。

また、再審の請求はその言渡を受けた者の利益のためになされなければならないが、本件のような場合に、前判決が取消され新たに無罪の判決があつた場合、被告人は、登録不申請罪について、審判を受け有罪の言渡を受ける可能性が出て来ると考えられるので、この点にも問題があると思う。

次に再審が許されるとしても、取消されるまでは効力を有するから、その間に不申請罪について公訴が提起されれば、本件におけると同様の問題、すなわち不携帯に対して言渡された確定判決のもつ一事不再理の効力が不申請罪に及ぶかの問題を生ずることになろう。

このようにして疑問は容易に解決されないが、私はさし当つて判例【33】【34】の態度を肯定しようと思う。しかし、登録不申請罪が継続犯と解せられ、しかも不申請罪によつて既に有罪の言渡を受けたにも拘らずその後も引続き登録申請を行わない場合には、その後の不申請については、前の有罪判決の効力は及ばないとする判例【25】の態度が正当であるならば、一歩を進めて、本件の場合、不携帯について有罪の判決が確定したにも拘らず、その後なお引続き登録申請を行わないことについては、右不携帯に関する有罪判決の効力はこれに及ばず、新たに公訴を提起し有罪判決を受け得るものとすることは多く異論のないところではないかと思う。そうとすれば、結局不携帯罪についての確定判決言渡迄の不申請罪については、不携帯罪起訴の際併せてこれを起訴しなかつたかあるいは訴因の追加をしなかつた点は検察官の手落として已むを得ないこととし、右不携帯罪についての確定判決があつたにも拘らずなお登録申請をしない場合には、これにつき新たに訴を提起し審判を求め得ることになり、結論的にも不当ではないであろう。

(3)　連続犯　周知のように連続犯に関する刑法五五条の規定は昭和二二年法律一二四号によつて削除されたから、連続犯は今日では直接はこれを問題にする実益は存しないのであるが、連続犯についてとられた理論が他に影響を及ぼしたと考えられる点もあり、これに関する判例を紹介することは必ずしも無意味ではないと思うので、左にその主なものについて述べることにする。まず連続犯について多く起つた問題は、確定判決後に行われた行為が、確定判決があつた行為と連続犯となり、この判決の効力がこれに及ぶか、という問題である。判例はいずれもこれを否定する。

【36】「猥褻文書図画販売頒布行為ハ刑法第百七十五条ノ犯罪ヲ構成シ縦令叙上前発ノ猥褻行為ト同一ノ罪名ニ触レ連続ノ意思ニ基キテ為シタルモノナリトスルモ右前発犯行ノ判決確定後ニ為シタルモノナル以上

前発ノ犯行ト相合シテ一罪ヲ構成スルモノニ非スシテ独立ノ一罪ヲ構成スルヲ以テ新ナル起訴及処罰ノ目的ト為リ得ルコト論ヲ俟タス」(大判昭八・三・四刑集一二・一九二)。

【37】「甲乙連続ノ意思ニ出テタル詐欺行為中甲罪ニ付最終ニ事実ヲ審理シタル裁判所ノ確定シタル有罪判決言渡後更ニ同一罪名ノ丙罪ヲ犯シタルトキハ乙罪ト丙罪トハ仮令事実上連続ノ意思ニ出テタリトスルモ法律上別個独立ノ犯罪タル関係ニ在ルカ故ニ丙罪ト乙罪トヲ連続犯ノ関係アルモノトシテ判決ヲ為スコトヲ得サルモノトス……」(大判昭一一・三・五刑集一五・二〇五)。

判例【36】が、「前発犯行ノ判決確定後ニ為シタルモノナル以上」といっているのに対し、後の判例は「甲罪ニ付最終ニ事実ヲ審理シタル裁判所ノ確定シタル有罪判決言渡後更ニ同一罪名ノ丙罪ヲ犯シタルトキ」という言葉を使用しているが、勿論後者がより正確であろう。

ついでながら、略式命令発布後に犯された犯罪について次の判例がある。

【38】「或犯罪ニ付確定判決アリタル場合ニ該犯罪トノ間ニ連続犯ノ関係ヲ認メ得ルモノハ右ノ判決言渡前ニ犯サレタル犯罪ニ限ルモノニシテ其ノ後ニ犯サレタル犯罪ニ及ホスヘカラサルコトハ当院屢次ノ判例ノ宣示スル所ニシテ……此ノ理ハ確定判決ニ換フルニ確定略式命令ヲ以テスルモ亦渝ルヘキニアラス即チ或犯罪ニ付確定ノ略式命令アリタル場合ニ其ノ略式命令ヲ経タル犯罪ト共ニ連続犯ヲ以テ論シ得ヘキモノハ該略式命令ノ発布以前ニ行ハレタル犯罪ニ限ルモノニシテ其ノ以後ニ行ハレタル犯罪ハ仮令略式命令ヲ経タル犯罪ト継続ノ意思ニ出テ且同一罪名ニ触ルル場合ト雖モ連続犯ヲ以テ論スヘキニ非ス」(大判昭一五・九・七刑集一九・五五〇)。

連続犯であるためには、数個の行為が、最終の事実審理をなした裁判所の判決言渡迄になされたことを必要とすることは、前記判例【37】も明言するところであるが、この趣旨から上告中に犯された犯罪について連続犯たることを否定したものに次の判例がある。

【39】「連続犯タル公訴ニ付テハ裁判所ハ連続一罪ヲ構成スル全部ノ行為ニ付審判スルノ権限ヲ有スルモ其ノ行為ハ最終ニ事実ノ審理ヲ為シタル裁判所ノ判決言渡アル迄ノ間ニ発生シタモノニ限ルモノトス蓋シ判決言渡当時未タ発生セサル行為ニ付審判ヲ為スハ不能ニ属スヘケレハナリ随ツテ最終ニ事実ヲ審理シタル裁判所ノ判決言渡ヲ限界トシテ連続行為ヲ前後ニ区分シ右判決言渡以後ニ生シタル行為ハ独立ノ一罪トシテ之ニ対シ新ニ公訴ヲ提起シ得ルモノトス」（大判昭九・三・一三刑集一三・二七八）。

以上に挙げた場合と異つて、確定判決があつた連続犯たる数個の行為の中間において行われた行為については、既判力が及び、免訴すべきであるということにつき次の判例がある。

【40】「本件公訴ニ係ル各被告人ノ前出所為ナルモノハ孰レモ確定判決ニ依リ継続ノ犯意ヲ以テ犯サレ従ツテ連続一罪ヲ成スモノト認定セラレタル一団ノ所為ノ中間ニ於テ犯サレタルモノニ外ナラス而シテ既ニ前後両時ノ所為ヲ継続ノ犯意ニ出テタリトスル以上其ノ中間ノ所為モ亦其ノ前後ノ両所為ト同一ナル犯意ノ継続ノ下ニ犯サレタルモノト観察スヘキハ当然ノ事ニ属ス……故ニ本件公訴ニ係ル被告人等ノ強盗殺人（其ノ予備ハ此ノ中ニ包括セラルヘキハ勿論ナリ）ノ所為ナルモノハ前掲確定判決ヲ以テ処断セラレタル窃盗ノ所為ト共ニ連続一罪ヲ成スモノト謂フヘク即チ本件公訴事実中被告人等ノ右所為ニ係ル部分ハ畢竟既ニ確定判決アリタル一罪ノ一部ニ付更ニ審判ヲ求ムルニ帰スルヲ以テ原審ハ宜シク被告人等ニ対シ此ノ公訴事実ニ付テハ刑事訴訟法第三百六十三条ニ従ヒ免訴ノ言渡ヲ為スヘカリシモノトス……」（大判昭一五・三・一二法新四五四三）。

次に起訴状に公訴事実として明記しなかつた事実を連続犯（または牽連犯）として追加した場合につき

【41】「検事カ公訴提起ノ際明示セサル犯罪事実ヲ予審判事カ検事ノ明示シタル犯罪事実ト互ニ連続犯又ハ牽連犯ノ関係ニ在ルモノトシテ公判ニ付スルコトアルモ公判裁判所ニシテ此等ノ明示事実ト明示外ノ事実トノ間ニ連続犯又ハ牽連犯ノ関係ナシト認ムルトキハ明示外ノ事実ハ公訴事実ノ範囲外ニ属スルヲ以テ之ニ対シ本案ノ判決ヲ為スコトヲ得スシテ公判裁判所カ連続犯又ハ牽連犯タル事実ヲ認定シテ始メテ明示外ノ事

実ニ審判ヲ及ホスノ条件ヲ具備スルモノトス而シテ公判裁判所カ公訴提起ノ際明示セラレタル事実ニ対シ無罪ヲ言渡ストキハ無罪ノ公訴事実ト明示外ノ事実トハ其ノ間ニ連続犯又ハ牽連犯ノ関係ヲ有スルコト能ハサルヲ以テ明示外ノ事実ニ審判ヲ及ホスヘキ条件ヲ欠キ仮リニ明示ノ事実カ有罪ナリシナラバ之ト明示外ノ事実トカ互ニ連続犯又ハ牽連犯ノ関係ヲ有シ得ヘキ場合タルト否トハ之ニ消長ヲ及ホサス故ニ公判裁判所カ公訴提起ノ際ノ明示事実ニ対シ無罪ヲ言渡ストキハ明示外ノ事実ハ毎ニ明示ノ公訴事実ノ範囲ニ属スルコト能ハサルモノナルヲ以テ該明示外ノ事実ニ対シテハ本案ノ判決ヲ言渡スコトヲ得サルモノトス而シテ明示外ノ事実カ公訴事実ノ範囲ニ属セサル以上明示ノ事実ニ対シ言渡シタル無罪ノ判決ハ確定スルモ明示外ノ事実ニ対シ其ノ確定力ヲ及ホスモノニ非サレハ明示外ノ事実ニ対シ検事カ更ニ公訴ヲ提起スルモ所謂一事不再理ノ原則ヲ適用スヘキモノニ非サルヲ以テ受訴裁判所ハ該公訴事実ニ対シ本案ノ裁判ヲ為スヘキモノトス」(大判大一四・六・二九刑集四・四四九)。

との判例があり、大判昭和六年一月二〇日(新聞三二三三・四)もこれと同趣旨である。

(三)　併合罪

以上において見たように、本位的一罪および処断上の一罪においては、その一部に対する確定判決の効力は少くとも原則として他の部分に及び、反対に併合罪の場合にはそのあるものについて確定判決があつても、その効力は他に及ばない訳であるが、この後者の場合、その確定判決があつたものと、他のものとが、共に同時に起訴された場合に、確定判決があつたものについては免訴し、残りの部分について審判すべきことにつき次の判例がある。

【42】「職権を以て調査するに、被告人に対する別件たる賍物故買、賍物寄蔵被告事件につき昭和二五年一月二四日広島高等裁判所岡山支部第一刑事部が言渡した確定判決の判示第三、第四によれば、本件第一審判

決認定の七箇の窃盗事実（併合罪）中の所論二個の窃盗事実については既に確定判決のあつたことを認めることができる。果して然らば少くとも該事実については刑訴三三七条一号に基き免訴の言渡をし残りの五個の窃盗事実について審判すべきものといわねばならない。」（最判昭二六・八・二刑集五・九・一七二七）。

判示は因より正当である。

（四）　確定判決の有無の認定

ある事実について確定判決があつたかどうかについて、次のような問題が生じている。

まず昭和二五年一二月一五日の広島高裁の判決においては、被告人が葉煙草を窃取しこれを所持していた事案につき、その所持罪について判決がなされたのかどうかが問題となつた。この判例は既に【32】として挙げたものであり（牽連犯の項）、事案の大要については、既にその際述べたところであるから、これを参照されたいが、要するに、前の起訴における公訴事実および判決における事実の摘示も、「……葉煙草十一貫分余時価七千五百円位を窃取し、之を自宅に持ち帰りて隠匿所持し居りたるものである」というのであり、ただ、起訴状にも判決書にも罪名としては窃盗とのみ記載してあり、また罰条としても刑法二三五条が挙げられているに過ぎなかつた。そこで、右の判決が、所持罪についてもまた判決したものかどうかが問題となつたのである。

さて、右判例は、葉煙草の窃取と窃取が既遂となつた後におけるその葉煙草の所持とが併合罪の関係にあるものとしつつ更につぎの如くいう。

【43】「然しながら両罪の関係が併合罪であつても前の確定判決によつて既に両罪共処断されていたとす

れば、最早その他に更に処断さるべき罪は残つていないことになるのは云うまでもない。そこで前記確定判決は果して窃盗罪だけについて判決したものであるかどうかということがここで検討されねばならない。

前記㈠の起訴状並に同㈡の確定判決にはいづれも、単なる窃盗の事実ばかりでなく窃取した葉煙草を「自宅に持ち帰り隠匿所持し居りたるものなり」と明らかに窃取後の所持行為をも掲げていることは前記の通りである。唯右起訴状にも判決にも罪名としては単に窃盗とあり、又罰条としても単に刑法第二百三十五条が挙げてあるだけである。然しそれだからと云つてわざわざ事実に掲げてある所持の点について判決がなかつたのだということが云えるであろうか。公訴事実が何であるか、判決の対象たる事実が何であるかを決するについて起訴状や判決に示された罪名や罰条が参考になることは勿論であるけれども罪名（事件名）や罰条はどこ迄も現に判示された犯罪事実に基き之に対して附せられ適用されるものであつて、事件名や罰条から逆に犯罪事実を解釈するということは本末を顚倒するものである。固より犯罪事実として表示された事柄の中でも或る犯罪の構成要件を充さないような表示は未だ以てその犯罪事実の表示ありとするわけにはゆかぬことであるが、本件において前記の表示は葉煙草の所持罪として充分な表示と云わねばならない。右所持罪には法定の除外事由なくとの要件があるがそれは窃取した葉煙草の所持である旨の表示によつて、既に実質的に十分表現されているのである。従つて前記確定判決が右葉煙草の所持につき之を犯罪事実として表示し乍ら之に煙草専売法の罰条を適用しなかつたのは、その適用を遺脱したか法令の解釈を誤つたものと見なければならないのであつて、之を以て所持罪については裁判しなかつたものだとすることは出来ない。

或は「之を自宅に持ち帰り隠匿所持し居りたるもの」との表示は犯罪事実として掲げたのではなくて単なる情状として挙げたものと見るべきであるとの論もあるかも知れない。然し窃盗罪において窃取した物件を自宅に持ち帰り隠匿所持して居るということは窃盗の事後の情状としては最も典型的なものであつて、情状として特に示すほどのことでないことは勿論であつて、従つて右所持の点を情状として掲げられたものと見ることは無理である。矢張り右所持についても前記㈠の起訴があり、次いで㈡の確定判決があつたものと見なければならない。

之を実質的な面から且つ被告人の訴訟上の立場に立つて考えても、被告人は前の判決で窃盗の事実のみならず、「自宅に持ち帰り隠匿所持し居りたるもの」との事実についても判示した判決を受け葉煙草の件は万事済みと考えているところに再び右所持の点につき責任を問われることは全く意外とするところであり、それはあまりに被告人の訴訟上の立場を無視したものであり、公訴事実につき既判力を認めた法の趣旨に反することであつて、この意味から云つても判決は認定された犯罪事実を基本として而も客観的に解決されねばならないのである」（広島高判昭二五・一二・一五特一四・一五八）。

本判例は本叢書刑事訴訟法(7)中「有罪判決の理由」の項においても紹介されているが（同一七〇頁以下）、右において浦辺・柏井両氏は、判例の趣旨には疑問があり、確定判決の認定した事実は葉煙草窃取の事実にとどまると解するのが相当ではなかろうか、とされる（同一七六―一七七頁）。問題は、「……窃取し、之を自宅に持ち帰りて隠匿所持し居りたるものである」との表示により葉煙草の所持についても判決があつたもの、すなわち刑法的評価の中に加えられたものとされ得るか、あるいは単に情状として挙げたにすぎないと解すべきかどうか、そして、これに関連して罪名および罰条の摘示が問題となつた訳である。罪名や罰条をもつて罪となるべき事実の表示を補うことができると解すれば（この点については両氏前掲三六頁、四一頁等参照）、右浦辺・柏井両氏の見解も可能になる訳であるが、しかしいかなる場合に罪名や罰条に基礎をおいて罪となるべき事実の範囲を解釈し、いかなる場合に、反対に、罪となるべき事実に基礎をおいて罪名罰条に誤ありと認めるべきかは相当困難な問題である。本判例は、問題の確定判決の表示は葉煙草所持罪として充分な表示であり、自宅に持ち帰り隠匿所持しているということは、窃盗後の情状としては最も典型的なもので、情状としては特に示すほどのことではないから、犯罪事実として表示されたものとみるのが適当だとするのである。これに対して右両氏は、二個以上の構成要件に該当する事実の表示されていることが明らかに看取できるのにこれよりも少い罰条が表示されているに止まるときは、罰条適用の遺脱があつたと考えるのが相当である場合が多かろうが、表示された罰条に該当する事実以外のものが当該事実の情状をなす関係にあると考えられる場合には、むしろそれは判決の認定した罪となるべき事実にあたらないと解するのが相当であろう、とされるのである(前掲一七七頁)。この両氏の「表示された罰条に該当する事実以外のものが当該事実の情状をなす関係にあると考えられる場合」という言葉は、受取り方によつては意味をなさないようにも考えられるが(何となれば、表示された罰条に該当する事実以外の事実が当該事実の情状をなす関係にあると考えられるかどうかが正に当の問題であるから)、むしろその意味は、表示された罰条に該当する事実(本件においては葉煙草の窃取)以外の事実(本件においてはその所持)が、罰条に該当する事実の情状となり得るような性質のものである場合には(仮令それが同時に別の犯罪の構成要件に該当するようなものでも)——それが犯罪事実として表示されていることが明白でない限り——情状として記載されたものであり、罪となるべき事実に該らないと解するのが相当である、とされる意味であろう。

なるほど、そう考えることも理由のあることではあるが、しかし、元来、右のような表示は本来何の表示として法律上要求されているか、ということを考えてみると判例と同様の結論が導き出せないこともない。というのは、本来法律が有罪判決に対して要求しているのは、罪となるべき事実、証拠の標目および法令の適用であることは刑事訴訟法三三七条の規定に徴して明白であり、そして本件において、問題となつている前訴における確定判決の「葉煙草云々を窃取し、これを自宅に持ち帰り隠匿所持し居りたるものである」という表示は罪となるべき事実の表示として、これを表示すべき箇所に表示されていることも疑のないところであろう。

そしていやしくも、罪となるべき事実を表示すべき箇所に表示された事実は、それが構成要件的に全く無意味でない限り、罪となるべき事実として認定され、評価されているものと解するのが正当ではあるまいか。私は少くとも一事不再理の効力を問題とするかぎり、このように考えるのが妥当ではないかと思う。この点で、本判例が、その説示の終りの方で、被告人の立場に言及しているのも興味深いことである。なお、青柳教授のような立場に立てば（同教授前掲既判力の客観的範囲）、仮りに、所持の事実が単に情状として掲げられたものとしても、判決の効力は所持の事実にも及ぶことになろう。

次に、一審で有罪とされた併合罪の一部について控訴審で何等判断されずその控訴の判決が確定した場合について左の判例がある。

【44】「記録を調べて見ると、原審判決において有罪とされた犯罪事実のうち、所論の部分を除外し、なんらの判断をせず、その余の部分についてのみ有罪とし刑を言渡したことは所論のとおりである。しかし原判決が第一審判決認定の有罪事実より除外した部分は有罪とされなかつたのであるから、被告人にとつて利益であるばかりでなく、この部分は原判決において無罪の判示がなかつたとはいえ、一たん公訴犯罪事実として、第一審の審判をうけ、次で控訴審の審理を経て、有罪事実より除外された以上、この部分について、被告人は再び起訴されることはない訳である」（最判昭二七・三・一八刑集六・三・四九八）。

この判例の前段は別として、後段の判断されなかつた部分について被告人は再び起訴されることはない、という点は注目すべきである。判例が、この部分について再度起訴されないというのは、前判決がそのまま確定しても、その効力は右の判断されなかつた事実にも及び、再び起訴された場合には、刑事訴訟法三三七条一号の適用があるという趣旨であろうと思われるが、この判例はただ、「第一審の審判を受け次いで控訴審の審理を経て有罪事実から除外された以上再度起訴されることはない」といつているのみで、何故そうなのかは説明されていない。この点で私はこの判例に物足りなさを感ずる。恐らくは、第一審で審理判決され、また控訴審でも審理されていながら、有罪事実から除外されているような場合には、直接その事実に対する判断は示されていないが、全然判断しなかつたという訳ではなく、裁判所はむしろこれを無罪と認定したものと考えるのが正当であり、実質的には裁判所の判断は下されているのであるから、この事実についても確定判決があつたものといつて差支えない、という趣旨であろうか。

（五）　二重起訴と確定判決

同一事件について二重に公訴の提起があつた場合には、刑事訴訟法三三八条三号または同三三九条五号の規定にしたがい、公訴棄却の判決または決定がなされなければならない訳であるが、これに違反して実体判決がなされその判決が確定した場合について、次の判例がある。

【45】「事物管轄ヲ同シクスル数個ノ裁判所中同一事件ニ付後ニ公訴ヲ受ケタル公判裁判所ハ公訴棄却ノ決定ヲ言渡スヘキモノナルコトハ刑訴法第三百六十五条第三号ノ規定スル所ナレトモ同裁判所カ誤テ本案ニ

付有罪ノ判決ヲ言渡シ其ノ判決最初ニ公訴ヲ受ケタル裁判所ノ裁判ヨリ先キニ確定スルニ至リタルトキハ本案ニ付審判権ヲ有スル裁判所ノ判決ト同様ノ確定力ヲ有スルニ至ルモノトス蓋シ同条及同法第十条ノ規定ハ免訴ノ判決ノ外同一事件ノ本案ニ付数個ノ確定裁判ヲ阻止スルコトヲ目的トシ叙上ノ場合ノ如キ裁判ノ確定力ヲ否定スル精神ヲ有セスト解スルヲ相当トスルカ故ナリ従テ後ニ公訴ヲ受ケタル裁判所ノ有罪判決ニシテ既ニ確定シタル後ニ於テハ最初公訴ヲ受ケタル裁判所ニシテ既ニ有罪ノ裁判ヲ言渡シタル後ナル場合ニ於テハ訴訟関係人ハ該裁判ニ対シ正式裁判ノ請求又ハ上訴申立ノ方法ヲ執リ免訴ノ判決ヲ受ケ以テ該有罪裁判ノ確定ヲ阻止スヘキモノトス」（大判昭五・一二・一〇 刑集九・一三四一）。

【46】「叙上二個の公訴事実は、一つは窃盗、他は贓物寄蔵であつて一見異なる如くであるが、関係記録を精査すれば、犯罪の日時、被害物件及びその所有者等基本事実関係において異なるところなく、両者同一の公訴事実であることが認められる。してみれば同一事件につき後に公訴を受けた裁判所は有罪の判決をなすことができないにかかわらず有罪の判決をなし、その判決が最初に公訴を受けた裁判所の裁判より先きに確定するに至つたとしても、本案につき審判権を有する裁判所の判決と同様の確定力を生ずるものであるから、本件東京高等裁判所としては、同一事件につき確定判決を経たものとして刑訴三九六条、三九二条、四〇四条、三三七条一号の規定により原判決を破棄し、贓物寄蔵の犯罪について免訴の判決をなすの外ないものである」（最判昭二八・一二・一八 刑集七・一二・二五七八）。

右はいずれも、後の起訴に対する判決が、先の起訴に対する判決よりもさきに確定した場合であり、これらの場合には、仮令先になされた起訴であつても、これに対しては、免訴の判決をなすべきものとされるのである。これに反して先になされた起訴に対する略式命令がさきに確定した場合について次の判例がある。

【47】「関係記録を調査するに、被告人は、昭和二三年一二月五日午前一一時四〇分頃東京都千代田区神

田豊島町一三番地先歩道において、所轄警察署長の許可を受けないで幅三米長さ一〇米の場所を使用し杉材等建築用資材を置き交通の妨害となる行為をしたとの犯罪事実につき、当初昭和二四年三月一一日東京簡易裁判所に対し公訴提起と共に略式命令を請求され、同月一二日同裁判所は右事実につき道路交通取締法違反として、被告人を罰金百円に処する旨の略式命令をなし、この裁判は同年四月五日確定した。ところが、右略式命令がなされた後未だその確定しない前たる同年三月三一日右同一事実につき更に同裁判所に公訴の提起と共に略式命令の請求がなされ、同裁判所は翌四月一日再び道路交通取締法違反として、被告人を罰金二百円に処する旨の略式命令をなし、この裁判は同年五月一二日確定した事実を認めることができる。してみると後の起訴を受けた東京簡易裁判所は、その公訴事実については既に公訴が提起されているのであるから、本来刑訴三三八条三号に則り判決を以て公訴を棄却すべきであつたのである。然るにそのことなく更に略式命令をなしたため、同一犯罪事実について二個の略式命令がなされ相前後して確定した結果となつたわけである。即ち後になされた原略式命令は明に違法なものであるから本件非常上告は理由がある」(最判昭二五・五・一二刑集四・五・七五二)。

ところで、何故【45】【46】の場合には免訴、【47】の場合には公訴棄却の言渡をすることになるかを考えてみると、判例【45】【46】の場合においては、問題となるのは前の起訴の効力であり、この場合前の起訴は本来適法であつたのであるが、後訴に対する判決がさきに確定したため、これによつて有罪無罪の判決をすることが妨げられるに至つたに過ぎないわけである。しかるに判例【47】の場合には問題となるのは後の起訴の効力であり、この場合後の起訴は本来不適法であつて、前の起訴に対する判決の有無に拘らず、棄却さるべきものであるからであろう。

(六)　差戻と免訴

差戻前の確定判決の効力が差戻後の手続において問題となつた珍らしいケースがある。それは、第一審が併合罪の一つにつき無罪の言渡、他に対して有罪の判決をなしたのに対し、被告人が控訴したところ、控訴裁判所は、第一審判決の全部を破棄して第一審裁判所に差戻した。ところが差戻を受けた第一審裁判所は、差戻前の第一審裁判所が有罪とした事案の外、同裁判所が既に無罪と認めた事実についても亦これを有罪とする判決をしてしまつた、という事案である。この差戻後の第一審裁判所の判決に対する控訴審の判決が、すなわち本判例である。本判例は、差戻前の第一審裁判所の判決中、無罪判決の部分は既に確定しており、控訴審に移審の効力を生ずることがないのであり、控訴審がこれを無視して、第一審の判決全部を破棄しても、既に無罪判決があつた部分は、実質的には無効(既判力の効果を動かすことが出来ない意味において)であつて、このような判決は、本来適法に上級審に繋属しない事件について言渡されたものであるから、裁判所法四条の規定にも拘らず下級審を拘束するものでない、とした上、差戻後第一審裁判所がとるべき措置について次のように判示している。

【48】「この事実は上来説明の如く、――差戻前の第一審判決が無罪の言渡を為し、検察官の控訴申立がなく、為に既に夙く既判力を生じている事実であつて、固より前の控訴審の審判の対象と為し得なかつた事実なのである。従つて差戻後の第一審判決は前記控訴判決にかかわらず須らくこの点に着眼し、之を前提として適切なる判断を為さなければならないことは上来説明の理由によつて自ら明瞭である。只斯る場合如何なる判決を為すべきかについて考究するに、この点に関し二説を考えることが出来る。第一説は公訴棄却の判決を為すべきであるとの考え方である。その論拠とするところは、凡そ起訴状はそ

の事案に関する判決の確定により、その目的を達成しその効力は自然に消滅するものと解すべきである。従つて本件の場合、差戻前の第一審判決が無罪の言渡を為し、その判決が確定した時起訴状のその部分は当然その効力を消滅しているのであるから爾後斯る無効の起訴状に基き差戻後の第一審において検察官が公訴事実の陳述をしたとしても何等法律上公訴提起の効果を生ずる根拠がないから刑事訴訟法第三百三十八条の規定に準じて公訴棄却の判決をなすべきであると謂うにある。更に第二説は免訴の判決を為すべきであるとの考え方である。即ち刑事訴訟法第三百三十七条第一号所定の確定判決を経たときとあるのは既に確定判決を経た事実につき、検察官から更に公訴を提起した場合を指称するものと解すべきであるが、本件の場合は、前記起訴状による公訴の提起があり、その訴訟手続の進行中における出来事であつて同条第一号に適切な場合ではないけれども、悉も角形式的には前記控訴判決及び差戻後の第一審判決があり、而も差戻後の第一審において、検察官は、当初の起訴状及び訴因変更請求書に基き、公訴事実を陳述し、原審裁判所は之に基き審判しているのであるから、確定判決を経た事実につき再び公訴の提訴があつた場合に準じ、免訴の判決を為すべきであるというにある。当裁判所は被告人利益の立場を重んじ右第二説に遵馳し免訴の判決を為すを正当と解する」（名古屋高判昭二六・一一・二七特二七・一六二）。

このように判示は、本件の如き場合においては、差戻後の第一審は差戻前の第一審において既に無罪の言渡をなしたる部分については、免訴の判決をなすべきものとの見解をとつている。しかも、差戻後の第一審判決は右の事実と他の事実とを併合罪として処断しているため、本判決は差戻後の一審判決中の有罪の部分は全部これを破棄し、右の事実については免訴の言渡をしている。

判例のように差戻前の第一審判決中、無罪の部分は夙に確定し、控訴もこの部分についてなされていないとするならば、移審の効力も生じていない訳で、控訴審（差戻前の）の判決もこの部分については無効であるとすることは正当であろう。しかしそうだとすれば、差戻されたのは差戻前の第一審が有罪と認めた部分に限ることになり、従つて差戻後の第一審が審理し判決をなし得るのは差戻前の第一審が有罪と認めた事実に限らるべきである、ということにならないであろうか。これを差戻前の第一審が無罪と認めた事実より見るならば、この公訴事実については既に確定判決をもつて審判済になつているのである。このような事実については検察官の公訴事実の陳述は最早許されない訳であり、仮令これがなされても、裁判所は他の事実に対する判決の理由中において、この点については既に差戻前の第一審の判決が確定しているが故に、判決をなし得ない旨を明白にすることをもつて事足りるのであり、公訴棄却あるいは、免訴の判決をする必要はないのではあるまいか。そして、若し本件の如く、差戻後の第一審裁判所がこのような措置をとらず、全部について有罪と認め、これを併合罪として処断したような場合には、この判決に対する控訴審としては、その全部を破棄し、未だ確定判決のない部分についてのみ判決し、既に確定判決のあつた部分については右の判決の理由中において、右と同様の説示をすればよいのではなかろうか。

　判決中に示された公訴棄却説も、免訴説も共に、差戻後、既に確定判決のあつた事実についても、検察官の公訴事実の陳述が行われ、第一審裁判所もまたこれについて審判しているのであるから、既に無罪の確定判決があつた事実についても、事実上一種の訴訟繋属を生じているものとして、これについて何等かの裁判がなされなければならないという考え方に基づいているように思われるが、私の考えでは、真正な意味における訴訟の繋属と、事実上の訴訟繋属とは、全くその性質が異るものであつて、公訴の提起がないのに拘らず、これがあるように誤想されてその後の訴訟手続が事実上行われても、元来公訴の提起がないのであるから、裁判所は本来いかなる裁判をもこれをすることはできない訳である。ただ、外形上公訴の提起があつた如く見え裁判所の判決がなされなければならないように見える状態が出現していることは争えない事実であるので、それに結着をつけるために、裁判所の判断が何等かの形で表示される必要があるというに過ぎない。そして事実上行われた手続の全部が公訴に基づかないものであれば、右の表示の形式として公訴棄却あるいは免訴の判決をするということも、他にその形式の規定されていない現行法の下においては、やむを得ない解釈として許されると思うが、本件のように手続的に併合された他の犯罪事実についての判決がなされるような場合には、その理由の中において右の旨を表示すれば足りるものとすべきである、と思うのである。

三　刑の廃止

刑の廃止として判例上問題となつているものの中には、第二次世界大戦と全く拘わりのないものも見られないことはないが、その大部分は、むしろ直接又は間接に大戦の影響を受けて行われた法令(又はこれに基づく告示等)の改廃に関するものである。これを事項的に整理して見ると、㈠価格等統制令、物価統制令、食糧管理法、臨時物資需給調整法、その他の統制令(又はこれに基づく告示)の改廃に関するもの、㈡昭和二一年勅令三一一号、昭和二五年政令三二五号、その他関税法中の一部規定の如き占領状態に伴う諸法令(又はこれに基づく覚書)の改廃に関するもの、及び㈢その他のもの、と大別することができる。以下これらにつき順次判例を紹介することにするが、ただ一言しておきたいことは、限時法の問題である。従来学説の中には、いわゆる限時法なるものを認め、この限時法にあつては犯罪後仮令それが廃止されてもなお刑事訴訟法三三七条二号（旧刑訴法三六三条二号）にいわゆる「犯罪後の法令により刑が廃止されたとき」に該当しないものとしつつも、そのいかなる場合に限時法を認めるべきかについて容易に見解の一致を見ない状態であり、判例の上でもこの限時法が、刑の廃止と関連してしばしば問題となり、この点についてかなり活潑な論議を展開している判例も少くないのであり、従つて刑の廃止の問題と限時法の問題とは切り離すことができない訳である。しかし、限時法については本叢書に別に一項目として予定されており、そこで限時法に関する判例の態度が詳しく検討されるであろうから、本稿では、限時法そのものの問題には深入りせず、「刑の廃止」に関する判例の態度を全般的に検討して行きたいと思う。

一　統制法令の改廃に関するもの

統制令においては、多く、統制せらるべき物資や販売せらるべき物品の価格等の指定が告示によつてなされ、しかもそれが、その時々の経済事情に即応するために頻繁に改正されたので、この点に関連して刑の廃止が問題となつた事案が甚だ多いが、しかし勿論問題がこれに限られている訳ではない。

（一）　臨時馬の移動制限に関する法律に関するもの　　この法律は昭和一二年法律八九号として、支那事変に際し馬の徴発を確保するため制定されたもので、その一条は「政府ハ支那事変ニ際シ命令ノ定メル所ニ依リ馬ノ移動ニシテ馬ノ徴発ニ支障ヲ生スル虞アルモノヲ制限スルコトヲ得」とし、二条において右の違反行為を処罰する旨を規定していたが、この法律の委任に基づく命令（陸軍・農林省令）が行為の後に変更されたため問題となつた。これについて大審院は次のように判示した。

【49】「前ノ委任命令カ一定ノ行為ヲ制限スルト共ニ一定ノ場所ニ於ケル行為ニハ其ノ制限規定ヲ適用セサルコトヲ定メアリタル場合ニ後ノ委任命令ヲ以テ右ノ場所ノ外新ナル場所ヲ追加規定シタルトキハ其ノ追加規定セラレタル場所内ニ於ケル行為ハ右制限規定ノ適用ヲ受ケサルニ至ル結果右法律（前記法律八九号を指す―筆者註）第二条所定ノ犯罪構成要件ヲ具備セサルコトトナリ結局同条所定ノ刑罰ヲ科スヘカラサルニ至ルハ理ノ看易キ所ニシテ是即チ該行為ニ付テハ後ノ委任命令ニ依リテ刑ノ廃止アリタルニ外ナラサルナリ」（大判昭一三・一〇・二九刑集一七・八五三）。

（二）　価格統制に関する諸法令に関するもの

(1)　告示の改廃に関するもの　価格統制は第二次世界大戦に伴う国家情勢の推移に応じて、物品販売価格取締規則、価格等統制令、物価統制令等と姿を変えているが、これらの法令に基づく価格指定の告示の改廃が既に行われた違反行為の処罰に影響を与えるかどうかが問題となつたのである。

大審院は、この問題について、終始、価格については行為時のものによるべく犯罪後の告示の変更はその前に行われた違反行為の処罰に何等の影響をも及ぼさないものとし、その判例は、昭和一五・六・二七、同年七・一、同月四、同月一五、同月一八、同年八・八、同年九・五、同月一二、昭和一六・五・二、同年九・一、昭和一七・三・三等枚挙に暇がない。ただし、このような結論の根拠については多く示されておらず、ただ判例によつては、この種の法令や告示は経済事情の変転に応じてその時期時期の物価の適正を確保することを目的としており、臨機改廃されることを予定して制定されているのであり、判示のように解することがこの種の法令の精神に適合するものであることを挙げているもの（例えば前記昭一五・七・一判決、同月一八判決等）があるに過ぎない。

この大審院の判例の態度は、最高裁判所の判例においても結論的には変更されていない。最高裁の最初の判例は昭和二五年一〇月一一日の大法廷のものであるが、その前に高等裁判所の判例を見ることにしよう。まず

【50】「昭和二十三年七月二十三日物価庁告示第五百十四号は昭和二十四年十月八日物価庁告示第八百十三号に依り改正せられた結果原判決認定の本件魚類中「さば」を除く其の余につき統制額の指定が廃止せられたことは所論の通りであるけれども右は告示の改廃であつて基本の罰則法規である物価統制令の改廃ではないのであるから被告人の本件所為が行為当時の統制額指定の告示に違反し物価統制令の罰則を以て律すべき以上該行為後告示の改廃があつたとしても右は刑事訴訟法第三三七条第二号に所謂犯罪後の法令により刑が廃止せられたときに該らない、従つて原審が右刑事訴訟法第三三七条の規定に依らなかつたのは寧ろ当然である」（名古屋高金沢支判昭二五・二・一六特七・二六）。

があるが、次の大阪高裁の判決は、限時法の問題にふれ、いつそう詳細にそれが刑の廃止に該らないことを説明している。

【51】「所論本件重炭酸曹達については原判決言渡後価格の統制が撤廃せられ、犯罪後の法律により刑の廃止された場合に該当するので免訴を言渡さるべきであると主張するのである。しかし、刑法第六条刑事訴訟法第三百三十七条第二号は何等の例外をも許さない絶対的な規定ではなく、同じく刑の廃止又は変更を生ずる場合であつてもその中には㈠国家の法律的見解の変更に伴い、従来のような処罰の必要を認めないに至つた結果なる場合又は後法を以て明示的に従来の刑を廃止変更する場合と㈡最初から予定された実施期限の

経過により法規の中に発展的解消を遂げる場合とがあり、前者の場合が普通であつて、これが刑法第六条刑事訴訟法第三百三十七条第二号の予想せるものにあたるので、この場合は刑の廃止によつて旧刑罰を適用し得ないことは法令上明白であると共に、実体的にも旧法により処断すべきでないと云う根拠は充分認められる。しかし後者の場合は之と趣を異にし、当初より一定の期間内(必ずしも明文を以てその期間を限定することを要せず、法規全体の趣旨から一定の時を限定するも差支えない)における特定行為の制限禁止を目的とし、其の違反に対する制裁を科するのが眼目であるから、その実施期間の経過後でも、いやしくも期間中になされた違反行為なる限り之に対してはその制裁の適用を否定すべき何等の理由をも見出し得ないのであつて、これがすなわち前述の例外であり、いわゆる限時法の問題なのである。限時法とは一定の期間内に行われた犯罪に限り絶対的に之を処罰する刑罰法規を云い、換言すればたとえその法規が効力を失つた後においてもなお、処罰を要請するものであり、これが限時法なるものの個有的性格であるが、ある法規が限時法なりや否やはその立法精神にかんがみ、法そのものの実質に則して決せられるのである。所論告示は物価統制令(以下本令と云う)の委任に基き統制額を指定して本令の内容を補充完成しそれ自身も法令の一部をなすものであるから、本令の本質精神を検討してそれが果して限時法であるか否かを決定しなければならないのである。もともと、経済統制令は社会の必要に応じ急速に実施の要あるもの多きと共に、社会情勢、経済事情の変動に伴い極めて頻繁に改廃せられる可能性をもち、予め短い施行期間を限定又は予想して実施し、その期間の経過によつて効力を失う建前におかれているものが多いのである。戦時中の国家総動員法に基く価格等統制令を中心とする物価の統制は終戦と共に一応その「戦争の完遂」と云う目的を失い、そのことが戦時中の官僚統制に対する反感や政府の威信の失墜と云うようなその他の諸原因とも関連して戦後の経済秩序の混乱をもたらし、闇市場の出現を許し、物価の統制は全く無力化し一般大衆は正にインフレの猛威の前にさらされるに至つたのである。もとより経済統制があるよりもない方が一般大衆にとつてよりよい結果が得られることになればその時々に応じ統制を緩和し又は撤廃さるべく、終局的には自由経済に席を譲らなければならないのであるが、戦後のわが国の窮乏せる経済事情は直ちに自由経済に復帰することを許さず、戦時中とはその目的方式を異にする新たな統制を要求し、当時の経済的危機の克服と経済秩序の再建のために経済緊急措置の一環として生れたのがこの物価統制令であつて、その第一条に「終戦後の事態に対処し物価の安定を確保し、社会経済秩序を維持し国民生活の安定を図るを目的とする」と明記し、物価の統制は、この終戦後の非常事態を突破するための一時的な非常措置であることを明らかにしているのである。この本令制定の経過とその本質精神を照らすときは本令はまさしく限時法なのである。所論は要するにこの限時法の個有的性格を理解せず刑法第六条刑事訴訟法第三百三十七条第二号は何等の例外をも許さないと云う見解に立つものであつて、採用することはできない」（大阪高判昭二五・三・一八特六・一五〇）。

更に判例【50】とほぼ同様の趣旨のものに次の判例がある。

【52】「白下糖販売価格の統制額指定が昭和二四年十月二十一日物価庁告示第八七六号によりその効力を失つたことは、まことに弁護人の主張する通である。しかし、この指定の効力がなくなつたことは直ちに右公示の施行前になされた白下糖についての物価統制令違反罪に対する処罰に影響を及ぼすべきものではない。統制額指定の失効と既に成立していた統制違反罪についての刑の廃止とは全然別異の事項であつて、物価統制令第三十三条が現に施行されているかぎり、右刑の廃止があつたといいえないのである。ゆえに前示物価庁告示があつた後において原判決が被告人を罰金参万円に処し、被告人に対し免訴の言渡をしなかつたのは決して法令の違反があるということはできない」（札幌高判昭二五・五・一三特九・一六八）。

右の如くこの問題については、物価庁の告示の性質いかん、物価統制令とこれに基づく告示との関係をいかに理解すべきかという問題が内包されていたのであつて、判例【50】及び【52】は、告示そのものが変つても、統制令の規定自体は変らないのであるから刑の廃止に当らないという考え方に立つているのに対して、【51】は、物価統制令自体が限時法的な性格を持つているという点に重点をおいているようである。最高裁判所の次の判例は、これらの点について、いつそうの検討を加えたものとして注目される。

事案はりんごの販売価格の統制違反に関するものであるが、判例はまず、告示の廃止は統制額の指定の廃止であつて、直接に刑罰法規の廃止ではない、したがつて告示の廃止をもつて直ちに旧刑訴三六三条にいわゆる「刑ノ廃止」にあたると即断することはできない、ただ告示廃止の結果、行為の時に物価統制令違反の罪にあたるとせられた行為も、若しその行為が裁判時においてなされたと仮定すれば、告示廃止の結果無罪とせらるべき関係においては「犯罪後ノ法令ニ依リ刑ノ廃止アリタルトキ」と同様になるというにすぎない、そして、この場合、旧刑訴三六三条の適用を排除する旨の直接規定はないが、同時に、単なる告示廃止の場合を以て、いわゆる「刑ノ廃止」にあたるとする直接の規定もないから、この場合を「刑ノ廃止」と同視して被告人に対し免訴の言渡をすべきかどうかは、一に物価統制令のもつ法規上の性格いかんにかかるものといわなければならない、と前提して、次の如く判示している。

【53】　「物価統制令は、その第一条に規定するごとく「終戦後ノ事態ニ対処シ物価ノ安定ヲ確保シ以テ社会経済秩序ヲ維持シ国民生活ノ安定ヲ図ルヲ以テ目的トス」るものであつて、終戦後という一時的異常な事態に対処するための法規であつて、かかる異常な社会状勢が終熄して経済事態が常態に復したときは、早晩廃止さるべき運命にある法規であることは、同条の規定するところによつて明らかである。即ち、いわゆる限時法的性格を具有する法規である。しかして同令第三三条はいわゆる空白刑法を成し、その犯罪構成要件の一たる統制額の指定を物価庁長官の告示等に委任していることも、刻々に変移する社会経済状勢に適応す

べき統制額の制定変改を挙げて行政庁の事宜に適する措置に一任するものであつて、統制すべき物資の品目についても、またその統制額の制定、改廃についても、常に社会状勢の推移につれて変改さるべきことは、この法規の当初より予定するところであるといわなければならない。かかる場合に行政庁の告示の改廃につれて常に「刑ノ廃止」ありとして違反者を免訴すべきものとするならば、裁判の確定は相当日子を要するのが恒であるから、裁判は告示の改廃に追随するを得ない結果として違反行為取締りの徹底を期するを得ないのみならず、違反者は告示の改廃を予測して遵法を怠り、裁判の遷延によつて、不当に科刑を免れんとする傾向を生じ、また裁判時の先後によつて、同種同質の罪が或は有罪となり或は免訴せられるという不公平な結果を惹起する等、物価秩序の維持という物価統制令の目的は甚だしく阻害されることとなるのである。今や各種物価の統制が漸次撤廃されてゆく傾向にあることは疑ないところであるけれども、統制法規の厳守を確保することは、今日において、依然、国家の喫緊な要請でなければならない。この種経済法規については、この改廃にあたつて、殆んど例外なく、法規の廃止後においても罰則の適用については、なお、従前の例による旨の附則が制定せられる所以である。物価統制令自体においても、その第五〇条に「旧令ハ本令施行前ニ為シタル行為ニ関スル罰則ノ適用ニ付イテハ本令施行後ト雖モ仍其ノ効力ヲ有ス」と規定しているのであつて、旧令とは価格等統制令を指すものであるが、同令と物価統制令とはその立法の目的、規定の性質態様を同じくし後者は前者の変身ともいうべきものであり、物価統制令自体において、価格統制令に関して右の如き規定を有することは、同令が前叙のごとくその第一条において暫行的目的を掲げていること、及び空白刑法の規定を具有すること等と相俟つて同令がその包蔵する規定自体において限時法的性格を具現しているものといわなければならない。

況んや物価統制令自体の問題でなく、これにもとずく行政官庁の告示の廃止の場合のごときは、ある特定の品目に対する統制額廃止の結果として、統制違反の行為が必然的に罪とならなくなるというに過ぎないのであつて、かかる法規違反の行為を以て自今これを罪とせず、若しくは処罰せずとの法的確信にもとずいて、「刑の廃止」が行われるのではないのである。旧事情下においては反社会性を有つものとせられたその違反行為の可罰性に関する価値判断は告示廃止の後においても依然として異るところはないのである。

尚、本件はりんごの販売価格の統制額違反の事案であるが、これをりんごの配給統制違反の場合と対比してみれば、りんごの配給統制に関する青果物等統制令(昭和二一年勅令二四七号)は昭和二二年政令第一五二号によつて、同年八月一日から―即ち本件告示の廃止に先立つこと約三月―廃止されたのであるが、右政令はその附則において「旧令廃止前にした行為に対する罰則の適用については、なお、従前の例による」と規定して旧令当時の違反行為に対しては、旧令廃止後も旧刑訴三六三条を適用しないことを明らかにしているのである。同じりんごについて、しかもわずかに、時を距てて配給統制の廃止と価格統制の廃止との間に、一は廃止後も従前の違反行為を有罪とし、他は廃止後は免訴すべきものとして、しかくその処断を別異にすべき理論上、実際上の根拠があるであろうか。立法者の意思は、価額の指定に関する告示の改廃によつて、「刑ノ廃止」の効果を生ずるがごときことは、夢想だもしなかつたところであろうことが想見されるのである。

以上説明するところによつて、本件は旧刑訴三六三条の「犯罪後ノ法令ニ依リ刑ノ廃止アリタルトキ」に該当するとの論旨の採用すべからざることは明らかである」(最判昭二五・一〇・一一刑集四・一〇・一九七二)。

要するに判示は、本件の場合刑の廃止に当らないとする結論を導き出す根拠として、㈠物価統制令の包蔵する規定は限時法的性格を具有するものであること、㈡単に告示のみが廃止された場合には、ある特定の品目に対する統制額が廃止される結果として、統制違反の行為が罪とならなくなるだけのことで、その違反行為の可罰性に関する価値判断は告示廃止の後においても依然として異るところがないこと、㈢りんごの配給統制に関する青果物等統制令との比較において、価格の指定に関する告示の改廃によつて「刑の廃止」の効果を生ずるというようなことは、立法者の意思に反するものと考えられること、の三を挙げ、かつまた物価統制令の規定が限時法的性格を有するものと断ずる根拠として は、(イ)それが終戦後の一時的異常な事態に対処するための法規であり、この異常な社会状態が終熄して常態に復すれば早晩廃止される運命にある法規であること、(ロ)同令三三条は空白刑法でその構成要件の一たる統制類の指定を告示等に委任しており、統制すべき物資の品目や、統制額の制定改廃等が単に社会状勢の推移につれて変改されることはこの法規が当然最初から予想しているのであるから、この場合、告示の改廃につれて常に刑の廃止ありとして免訴することにすれば違反行為取締の目的は期し得ないし、また裁判時の先後によつて同種同質の罪が或いは有罪となり、或いは免訴されるという不公平な結果を生ずること、(ハ)物価統制令自体が、その施行前になされた行為に関する罰則の適用について旧令たる価格等統制令がなお効力を有する旨を規定していること、等を掲げているのである。

ところで、右は多数意見であるが、これに対する補足意見及び少数意見があり、これにもまた傾聴すべきものがある。

まず栗山裁判官の補足意見から紹介する。同裁判官は特に、告示の性質、告示と物価統制令三条、三三条との関係について検討し、『(一)統制額の指定の場合には、その指定があると、統制額が統制令違反の犯罪構成要件になり、その構成要件該当の事実は統制額を超えて取引することであり、この構成要件は統制額があるときに発効する、すなわち価格の指定そのものは準則を決定するものではなく準則そのものは物価統制令三条の定めるところであつて、ただ同条は価格の指定をその発効力としているに過ぎない。統制額の指定自体は価格を設定するという効果を附する物価庁長官等の処分であつて、統制額あるときにおける統制令三条に基づく効果は右処分の効果ではなく、処分によつて発効する同条そのものの効果である。㈡統制額の廃止の処分は、価格の設定を解除する行政行為であり、これがあると、三条は発効しなくなつて睡眠状態におかれる。しかし価格の指定があれば何時でも発効する、価格改定の場合には罰則の適用があるのは三条自体の効果であるが、価格設定の解除の場合には統制令は何等の効果も与えていないから、右処分の効果しか発生せず、統制額廃止の告示後行為者に対して三条が適用されなくなるのは右処分の反射作用に過ぎない。この処分の価格設定の解除という効果は前の処分を過去に遡つて取消すものではなく、ただ将来に向つて効力を発生するだけである。したがつて前の指定の処分によつて三条が発効した効果に何等影響を及ぼすものではない、すなわち廃止の告示の反射作用として三条が発効しなくなつただけで同条が廃止されたものではないから、同条の発効中の効果は依然として存続し、したがつて、統制令三条にいわゆる「第三条ニ違反シタル者」に対しては右廃止の告示にかかわらず同条罰則の適用があるのは当然である』とされる。右所論は告示の改廃と物価統制令三条との関係につき特殊の理論構成を試みることによつて、限時法の問題にふれることなく、本問題を解決せんとしているのであるが、しかし、ある品目の物について価格の設定の告示が統制令三条の発動力であると同様に、その廃止の告示はその品目の物については同条の発動力を奪うものと考えることもでき、そしてまた同じ品目の物について考えるかぎり、廃止以前においては犯罪とされた行為も廃止後には犯罪視されなくなるという事実は争うべくもないのであるから、疑問はやはり残らざるを得ないようである。

次に斎藤、沢田両裁判官は、同様右統制令三条と告示の性質について検討し、『三条は「統制額があることを条件とはしているが、「統制額を超えて契約し支払い又は受領すること」を禁止する法規であることには何等の空白も存しない。従つて統制額を定める告示は、窃盗罪における「他人の財物」を制定する場合の民事法規と同じく、当該禁止法規(刑罰法規)以外に存する一犯罪構成要素認定の標識たるに過ぎないものと見るべきである。されば、告示の不存在乃至改廃の問題は、行為当時における犯罪構成要件を具体的に充足するか否か、従つて無罪であるか否かの事実問題であつて、刑罰の変更又は廃止、従つて免訴すべきか否か等の法律問題ではない』とする。

右の所論は、統制額を定める告示を、窃盗罪における他人の財物を判定する場合の民事法規と同じように見ようとするのであるが、この両者が同じような性質を持つものと見ることが果して可能であろうか。

なる程、刑法二三五条における「他人の財物」の具体的内容は、他の民事法規(慣習法を含めて)によつて定まり、当の具体的なある物が「他人の財物」といい得るかどうかの判定は、民事法規によらなければならない。又後出の判例【57】における両裁判官の所論に出て来る通貨偽造罪や、収賄罪の場合にも、例えば刑法一四八条の「通用の貨幣、紙幣又ハ銀行券」の具体的内容は、貨幣法その他の法令によつて、また同法一九七条の「公務員」の具体的内容は同法七条を通じて他の関係諸法令によつて定まることになる。そしてこの現象は、一見するときは、恰も、統制せらるべき物品およびその統制額が告示によつて定められる場合と全く同様のごとく思われるけれども、委細に観察すると、両者はやはりその性質に根本的相違があるといわなければなるまい。何となれば、所有権の取得、喪失等に関する民事規定、通貨に関する諸法令、公務員に関する諸法令等は、夫々それ独自の法的根拠を持つており、刑法二三五条、一四八条、一九七条及び七条等にその法的根拠を有するものではない。

これに反して、告示は(後出判例【57】の場合の食糧管理法施行規則も同様)、物価統制令(食糧管理法施行規則の場合は食糧管理法及び同法施行令)にその法的根拠を有する。従つて、例えば仮りに、刑法二三五条の規定が削除され、窃盗罪なるものが認められなくなつても、所有権の取得原因その他に関する法規は何等の影響をも受けないであろうことは言を俟たないところであるのに反して、物価統制令が廃止されれば、関係の告示は全くその法的根拠を失い、当然失効するのである。

またこれをその内容から見ても、所有権に関する民事法規その他の法規は刑罰法規と離れてそれ自身その規範的意義を有し得るに反して、本件告示(勿論他の告示においても同様であるが)にあつては、それ自身独立しては規範的意義を有せず、物価統制令の規定と合してのみその規範的意義を持つに至るのである。

このような両者間の相違を無視して、統制額を定める告示は窃盗罪における「他人の財産」を制定する民事法規と同じく、刑罰法規以外に存する一犯罪構成要素認定の標識たるに過ぎないものとすることには多大の疑問なきを得ない。私は結論的にはこの見解は誤りであると考えるものであるが、この点に深く立入ることは本稿の目的を逸脱すると思うから、今はただ、右のような疑問のあることを指摘するに止める。

次に反対意見すなわち刑の廃止にあたるとする意見を見よう。まず真野裁判官は、『純正な意義において、限時法とは特殊な一時的事情のために実施につき一定時期を限つて制定された刑罰法規をいうものであり、これを放漫に解して、特にその実施について一定期間を限定しない統制経済刑罰法規においても、その廃止後において廃止前の犯行を処罰しようとすることは許し難き行過ぎである。そして物価統制令の罰則規定はいわゆる空白刑罰規定で、告示によつて該罰則の内容である罪となるべき事実、すなわち犯罪の構成要件は充足せられている。統制令の罰則規定と告示との両者が相俟つて完全な刑罰法規を組成する。この告示により統制額の指定は個々の具体的事件についてする行政処分ではなく、立法府の委任によつて刑罰法規の一部を制定するものであり、告示の廃止は、制定された法規の一部の廃止であつて、これも本質上は立法作用に属する。それ故本件における統制額の指定の告示の廃止が、刑法六条にいわゆる「刑の変更」並びに旧刑訴三六三条及び四一五条にいわゆる「刑の廃止」に該当することは明々白々である。』とするのである。

次に井上、岩松両裁判官は、『法規がその失効の時期を予めはつきり定めている場合(純正限時法)には、失効間際になると罪を犯す者が多くなり、法の目的を徹底することができなくなるであろうが、本件告示のようなものは何時廃止されるか事前に予測することができないものであり、その廃止を予期して罪を犯すものが多くなるというようなことはまずないであろう。多数説のいう「違反者は告示の改廃を予測して遵法を怠り裁判の遷延によつて不当に科刑を免れんとする傾向を生じ云々」のようなことは頭で考え得るというだけで現実にそういう弊害が生ずるとは思えない。多数説及び従来の大審院の判例は純正限時法についての考え方を不当に拡張したものといわざるを得ない。』として真野裁判官の反対意見に合流している。

以上は価格の指定が廃止された場合であるが、指定が廃止された場合でなく、単に価格が変更された場合においては、それが「刑の廃止」にあたらないとせらるべきことはいつそう明白であろう。次の判例を挙げておこう。

54
【54】「本件犯行後マニラロープの統制額が昭和二十四年九月二十七日の物価庁告示第七百九十号によつて改定(引上)せられたので本件マニラロープの取引額は原判決当時においては統制額を超えていない結果となつたことは所論の通りである。然しながら右は処罰規定である物価統制令自体の廃止でもなく、又マニラロープの価額についての統制を全然撤廃したのでもなく、単に統制価額だけの改定に過ぎないのであるから刑の変更があつた場合でも、刑の廃止があつた場合でもなく刑法第六条又は刑事訴訟法第三三七条を適用すべきものではないと解するのを相当とするので犯行時の統制額を適用すべきは当然である」(広島高判昭二五・一一・一五特一四・一〇五)。

(2)　物価統制令自体の改正に関するもの　　昭和二二年四月一六日勅令一三三号による改正前においては、物価統制令一一条は、営利の目的を有すると否とまた業務に属すると否とに拘わりなく、暴利となるべき価格等及び不当に高価な価格等を得べき契約をなしまたはこのような価格等を受領することを禁止し、その違反は同令三六条によつて処罰されたが、前記改正以後は不当高価販売も営利の目的がなくまたは業務に属しないときは処罰されないことになつたため、右改正前になされた営利目的もなくまた業務にも属しない不当高価販売をその改正後において処罰し得るや否やの問題を生じた。

これに関する東京高裁の判決は次の通り免訴の言渡をなすべきものとしている。

【55】「改正前の法律によるといわゆる筍生活者の不当高価販売も処罰されることになるので立法者はこれは行過ぎであると考え直して改正したものである。故に物価庁告示の変更のように経済事情の変動に伴い刻々に改正される場合と異り改正前の物価統制令第十一条第二項は限時法的性質を有するものでない。従つて本件販売は前述のように営利の目的なく且つ被告人の業務に属しない以上本件販売は物価統制令の前記改正による処罰もなくなつたのであるから刑法第六条により改正法を適用し刑の廃止あつたものとして免訴の言渡をなすべきものである」(東京高判昭二五・四・一一刑集三・一・九〇)。

(三)　食糧管理法に関するもの

(1)　告示の改廃に関するもの　　次の判例がある。

【56】米粉澱分の販売については本件犯行後において所論告示(昭和二十四年二月十九日物価庁告示九五号)の廃止によつて食糧管理法の適用を受けなくなつたことは、弁護人のいう通りであるが、食糧管理法自体は未だ廃止せられておらず、且つこれに基いて制定せられた右告示はその当時の食糧事情に応じてその必要のために施行せられた限時法の性質を有するものであるから、事後にこれが廃止せられても行為の可罰性を失うものでない」(札幌高判昭二五・七・七特一一・一八三)。

(2)　食糧管理法施行規則の改正に関するもの　　食糧管理法施行令または同施行規則の改正については次の如き多くの判例があり、いずれも刑の廃止にあたらないとする。

【57】「所論は、本件犯行の当時禁止されていた馬鈴薯の輸送は、昭和二四年一二月一日からその禁止が撤廃されたから、現在では犯罪を構成しないことになつたので原判決の破棄を求めるというのである。しかし、主要食糧を法定の除外事由なくして輸送することを禁止する法規範を定めた食糧管理法施行規則二三条の七(その後二九条)の規定は、本件犯行の昭和二二年八月二九日及び同月三〇日当時においては勿論、現在

でもなお厳として存在する。ただ本件犯行成立後昭和二四年一二月一日公布農林省令一一五号によつて食糧管理法施行規則二九条の一部は改正せられ、本件犯行の目的物と同種類の馬鈴薯が主要食糧から除かれ、従つて馬鈴薯については同年同月同日以後輸送しても差支なくなつただけである。それは例えば通貨偽造罪成立後当該種類の通貨だけが法令によりその通貨としての強制力を失い、又は収賄罪成立後当該公務員の官職だけが法令により廃止されても犯罪の成立に影響のないのと同じことである。されば、右省令は、既に成立した主要食糧輸送禁止違反の犯罪に対する刑罰を廃止したものとはいえないから、所論は採用できない」(最判昭二六・三・二二刑集五・四・六一三)。

本判例は、第一小法廷のものであり、同法廷は、真野、沢田、斎藤三裁判官によつて構成されているが、判示にあらわれた論旨は、物価統制令関係の告示の改廃に関する前述の判例【53】において補足意見として紹介した沢田、斎藤両裁判官の意見と同旨であり、この補足意見が本判例においては多数意見として判示されたものと推測される。すなわち、さきに告示の改廃の場合に関して示された両裁判官の見解を農林省令たる食糧管理法施行規則の改正の場合に及ぼしたものということができよう。そして、この見解に対する私の疑問は右判例【53】に関連して述べたところと同様である。なお、本件における真野裁判官の反対意見も、右判例【53】における同裁判官の意見と同旨である。

【58】「昭和二七年五月三一日政令一六七号(食糧管理法施行令の一部を改正する政令)によつて大麦、はだか麦又は小麦が主要食糧から除外され同年六月一日以後、現在では麦の買受が犯罪を構成しないことは所論のとおりである。しかし麦が主要食糧から除外されても既にその前に成立した主要食糧買受の罪に対する刑が廃止されたものということはできない。このことは物価統制令第三条違反の行為があつた後に主務大臣の告示が廃止されても刑の廃止とならないとした当裁判所大法廷判決(昭和二三年(れ)第八〇〇号、同二五

年一〇月一一日大法廷判決、集四巻一〇号一九七二頁）の趣旨からも自ら明らかであるのみならず、馬鈴薯が主要食糧から除外されても既に成立した主要食糧（馬鈴薯）輸送罪に対する刑は廃止されないとした判例（昭和二四年（れ）第二四七一号、同二六年三月二二日第一小法廷判決、集五巻四号六一三頁）もあるのであつて、これらの判例は今これを変更する必要を認めないのである」（最判昭二九・一・一六刑集八・一・一四）。

【59】「昭和二七年五月三一日農林運輸省令第二号により同年六月一日以後玄小麦の移動禁止が解かれたことは所論のとおりである。しかし玄小麦が食糧管理法施行規則にいわゆる主要食糧から除外されても既にその前に成立した主要食糧（玄小麦）輸送罪に対する刑が廃止されたものということはできない。このことは物価統制令第三条違反の行為があつた後に主務大臣の告示が廃止されても刑の廃止とならないとした前記大法廷判決（前出判例【53】—筆者註）の趣旨からも自ら明らかであるのみならず、馬鈴薯が主要食糧から除外されても既に成立した主要食糧（馬鈴薯）輸送罪に対する刑は廃止されないとした判例（昭和二四年（れ）第二四七一号同二六年三月二二日第一小法廷、判例集五巻四号六一三頁）があるのであつて、これらの判例は今これを変更する必要を認めないのである」（最判昭二九・一・一六刑集八・一・二四）。

右のほか、なおこれと全く同趣旨の判例に、小麦の輸送に関する最判昭二九・二・二刑集八・二・一二五、小麦の売渡に関する最判昭二九・五・一四刑集八・五・六八六等がある。

（四）　臨時物資需給調整法に関するもの　臨時物資需給調整法に関するものとしては次の如きものがあり、いずれも刑の廃止にあたらないとする。

【60】「臨時物資需給調整法に基く蔬菜の統制は既に廃止せられていることは所論の通りである。しかしながらこの種の臨時の必要に基く行政上の取締に対する違反は法令の改廃に拘らず行為時の取締規定により処断せらるべきこと性質上当然であるから、原判決後右蔬菜の統制が廃止せられたとしてもそれが為め被告

人の刑責には何等影響を及ぼさないものである」(名古屋高判昭二五・四・一一特七・一〇四)。

【61】「原判決が右被告人の所為に対し適用した衣料品配給規則三条(昭和二二年商工省令二五号)昭和二二年商工省告示五八号は、臨時物資需給調整法に基いて制定せられたものであり、同法が所謂限時法の性格を有することは、同法一条及び同法附則二項の規定によつて明確であるから、右告示の廃止は旧刑訴三六三条二号にいわゆる「犯罪後ノ法令ニ因リ刑ノ廃止アリタルトキ」に該当しないものと解するを正当とすることは、当裁判所昭和二三年(れ)第八〇〇号同二五年一〇月一一日言渡した大法廷判決(判例集四巻一〇号一九七二頁以下)の趣旨に照し明らかであるから、論旨は採用に価いしない。」(最判昭二六・三・二三刑集五・四・六二二)。

(五)その他　飲食営業緊急措置令について

【62】「飲食営業緊急措置令は、当初からその二条において一定の期間だけその効力を有するいわゆる限時法的性格を持つ趣旨を表明し、その後三回に亘りその期間を延長した末昭和二四年五月七日飲食営業臨時規整法附則四項で「飲食営業緊急措置令は、廃止する。但し、この法律施行前にした行為に対する罰則の適用については同令はなおその効力を有する。」と規定したものである。されば、所論免訴の主張は、いずれも刑訴四〇五条の適法な上告理由に当らないし、また、同四一一条五号を適用すべきものと認められない」(最判昭二六・一二・二〇刑集五・一三・二五五六)。

二　占領状態に伴う諸法令に関するもの

(一)昭和二一年勅令三一一号及び昭和二五年政令三二五号に関するもの　両者とも「ポツダム宣言ノ受諾ニ伴ヒ発スル命令ニ関スル件」(昭和二〇年九月二〇日勅令五四二号)に基づいて発せられたいわゆるポツダム命令であつて、前者は連合国占領軍の占領目的に有害な行為に対する処罰等に関する勅令と名づけられ、連合国最高司令官の日本国政府に対する指令の趣旨に反する行為、その指令を実施するために連合国占領軍の軍、軍団又は各司令官の発する命令の趣旨に反する行為及びその指令を履行するために日本国政府の発する法令に違反する行為を、占領目的に有害な行為として処罰する旨を規定した。後者は、現行憲法の制定に伴い前者を改正したものであつて、占領目的阻害行為処罰令と名づけられたが、罰則内容はほとんど同一である。この勅令及び政令によつて、連合国の最高司令官の日本国政府に対する指令の趣旨に反する行為等が占領目的に有害な行為として処罰されたのであるが、昭和二七年四月二八日平和条約発効にあたり、この命令の失効の問題とともに刑の廃止の問題が生じたのである。

この問題について札幌高裁は、覚書「言論及び新聞の自由」に関し、既に昭和二七年一〇月一六日『何人もわが裁判所においては、日本国憲法の定めるところに従つて制定された法規範に違反した場合に限つて処罰され、これが憲法三一条の本旨である。政令三二五号の規定が右憲法の規定に違反するものとして効力を否定さるべきは当然であり、平和条約発効後において連合国最高司令官の指令の趣旨に反する行為を処罰することは、たといその違反行為が占領中なされたものであつても、これを限時法の効力として容認し得ないのは勿論、罰則の適用については従前の例による旨を定めた昭和二七年五月七日法律一三七号三条の規定は効力を有し得ない』として免訴の言渡をしているが（刑集五・一一・一九六九）、この問題についての最高裁の基本的な判例は、昭和二八年七月二二日のものである。

事案はアカハタ及びその後継紙の発行停止に関する指令違反で、被告人は「平和の声」が「アカハタ」の後継紙であることを知りながら、同紙を頒布しその発行行為をしたというのであり、第一審において有罪判決があり（昭二六・六・二五）、第二審は被告人及び検察官双方の控訴を棄却したが（昭二七・四・二八）、被告人よりの上告により最高裁は原判決及び第一審判決を破棄し、免訴を言渡した。

【63】「裁判官真野毅、同小谷勝重、同藤田八郎、同谷村唯一郎、同入江俊郎及び裁判官井上登、同栗山茂、同河村又介、同小林俊三の意見は、本件は原判決後に刑が廃止されたときにあたるとするにあるから、刑訴四一一条五号、四一三条但書、三三七条二号により主文のとおり判決する」(最判昭二八・七・二二刑集七・七・一五六二)。

右のように、この判決においては、単に、本件の場合刑の廃止にあたり、結局免訴すべしという結論が、多数意見となつているが、その理由においては、真野、小谷、島、藤田、谷村、入江の六裁判官の意見(以下六裁判官の意見と略称する)と井上、栗山、河村、小林の四裁判官の意見(以下四裁判官の意見と略称する)とは異るところがあり、更に判示の結論に対して、田中、霜山、斎藤、木村四裁判官の反対意見がある。

これらの意見中に見られる論点の主たるものは、(イ)昭和二五年政令三二五号と平和条約の発効との関係はどうか、(ロ)これと関連して、昭和二七年法律八一号「ポツダム宣言の受諾に伴い発する命令に関する件の廃止に関する法律」は、昭和二〇年勅令五四二号「ポツダム宣言ノ受諾ニ伴ヒ発スル命令ニ関スル件」を廃止すると共に、同勅令五四二号に基づく命令は、別に法律で廃止又は存続に関する措置がなされない場合においては右法律施行の日から起算して一八〇日内に限り法律としての効力を有する旨を定め、ついで、昭和二七年法律一三七号「ポツダム宣言の受諾に伴い発する命令に関する件に基く法務府関係諸命令の措置に関する法律」は政令三二五号を廃止すると共に、「この法律の施行前にした行為に対する罰則の適用については、なお従前の例による」と規定しているが、これが、政令三二五号の罰則の効力に如何なる影響を与えているか、(ハ)政令三二五号は限時法に属するかどうか、の三点であつた。

まず、六裁判官の意見は、(イ)の点に関し前記政令三二五号およびその前身たる勅令三一一号制定の根拠、事情およびその内容につき説明を加えたる後、『この勅令及び政令は、占領という特殊の状態において、連合国の最高司令官が占領目的を達成するがための前提要件として制定されたもので、この罰則も、その本質においては、全く最高司令官の占領目的達成のための手段たるに過ぎないものであるから、占領状態の継続ないし最高指令官の存続を前提としてのみ、その存在の価値と意義を有するに過ぎないものであり、この罰則は、その本質上占領状態の終了従つて最高司令官そのものの解消と共に当然その効力を失うべきものである。そして、昭和二七年四月二八日平和条約の発効と共に、連合国の占領は撤廃され、また連合国最高司令官も解消したのであるから、その指令違反を処罰する政令三二五号は、当然失効したものと言わなければならない』とし、また(ロ)の点については、『前記昭和二七年法律八一号及び同年法律一三七号によつて、一般にポツダム命令は、いやしくもその内容が憲法の規定に違反しない限り、平和条約発効後においても効力を持続すると見るべきであるが、政令三二五号の罰則は、他の一般ポツダム命令のごとく命令自体において犯罪行為の実質的内容を具体的に特定したものではなく、単に最高司令官の指令違反を犯罪として処罰するのであるから平和条約の発効と同時に当然失効するのである』とし、また『右法律八一号は他の一般ポツダム命令に対すると同様に政令三二五号に対しても、その政令の内容すなわち指令違反行為そのものの処罰に法律としての効力を与えたに過ぎないものであつて、各指令の内容そのものに対して法律としての効力を与えたものではないから、一々指令自体の内容について憲法適否を審査することを要しないし、また当該指令の内容の適否にかかわりなく、指令違反を処罰せんとする限りにおいて前記法律八一号は違憲無効である』とする。また(ハ)の限時法の問題については、『政令三二五号は前述のような最高司令官の意思を実現し権威を発揚し、もつて占領目的を達するための手段として制定されたに過ぎないのであるから、同政令において違法とされた行為の可罰性は、占領終了と共に当然消滅するものというべきであり、占領下における指令違反行為を、日本国憲法が完全な支配を及ぼすに至つた今日において処罰しようとすることは、占領後においてなお最高司令官の権威の存在を認め、その指令の効力の存続を承認し、「占領目的に有害な行為」の持続を容認しようとするもので到底憲法の容認し得ないところである』とし、以上の理由の下に、本件は刑が廃止された場合にあたる、という結論を主張するのである。

次に四裁判官の意見によれば、(イ)の点については、『政令三二五号の内容となつている場合といつても、単に連合国または占領軍の利益のためにのみ発せられたものばかりではなく、わが国の秩序を維持し公共の福祉を増進するために発せられたものも存在するのであり、このような内容をもつ指令は単に連合国最高司令官から発せられたというだけの理由によつて、これを内容とする政令三二五号がわが国の有効な国法となり得ないということはできない。指令の内容にして合憲なるものは、平和条約発効後においても、その指令のかぎりにおいて右政令三二五号をわが国法として存続させることはわが国の自由である』とし、次いで(ロ)の点に論及し『政令三二五号もその内容とする指令が合憲であるかぎり、昭和二七年法律八一号によつて有効なわが国法として存続するに至つたものである』としつつも、『然らば本件被告人が違反したと認められた前記指令の内容が合憲であるか否かを考えて見ると、右指令は、アカハタ及びその同類紙又は後継紙について、これに掲載されようとする記事が国家の秩序を紊り又は社会の福祉を害するような理由の有る無しを問わず、予め全面的にその発行を禁止するものであり、通常の検閲制度にもまさつて言論の自由を奪うのであるから、憲法二一条に違反することは明らかであつて、政令三二五号は右指令を適用するかぎりにおいて、わが国のこれに関する立法の如何にかかわらず（すなわち右法律八一号によつても）平和条約発効と同時にその効力を存続せしめることはできないものであると断ずべきものであり、このすでに違憲の故に効力を失つている法規を有効なものとして復活せしめようとする規定もまた違憲であつて、昭和二七年法律一三七号三条も、前記指令に関するかぎりその効力を生ずるに由なきものである』と論じ、また(ハ)の限時法の問題については、『憲法違反の故に失効した法規を限時法の理論によつて存続させることは不可能であるから、右政令三二五号に限時法としての効力を認めようとする説は首肯し得ない』とし、かようにして結局政令三二五号は前記指令に関する限り平和条約発効と共に失効したから、それ以後は右指令の趣旨違反を理由として処罰することができなくなつたのであり、本件は原判決後の法令により刑の廃止があつた場合に準ずべきものであると解するのを相当とする、と論結する。

前述の六裁判官の意見と、この四裁判官の意見との間の結局の主要な相違点は、前者が政令三二五号は、平和条約発効と同時に全面的に失効したものとするのに対して、後者は、本件の指令に関するかぎり平和条約発効と共に失効したものとする点にある。

最後に、田中裁判官外三裁判官の少数意見に目を転ずると、まず、『刑訴四一一条五号にいわゆる「判決があつた後に刑の廃止があつたこと」とあるのは、刑訴三三七条二号にいわゆる「犯罪後の法令により、刑が廃止されたとき」と同義で、犯罪後の法令により、積極的に明示又は少くとも黙示をもつて、既に発生し、成立した刑罰権を特に放棄したとき、すなわち特にこれを廃止する国家意思の発現があつたときを指すものである』とし、『いわゆる限時法の場合、特にその立法と同時に予め法規失効後も失効前の違反行為に対し罰則を適用する旨の明文を設けた場合のように、法規の廃止又は消滅が、立法者の法的観念又は刑法的価値判断の変更によるものでなく、単に事情の変更乃至時間の経過に因るに過ぎないときは、法規の廃止又は消滅後も立法者が既成の法律効果を放棄しない国家意思であると見るべきである。そして本件政令三二五号は初めから占領中のみに限り有効に存在し、占領の終了と同時にその効力を失うべき政令であることは論を俟たないから、いわゆる限時法に属するものと解すべきこと多言を要しない。のみならず昭和二七年法律八一号、同一三七号は却つてその刑罰を特に廃止しない旨の明確な国家意思を表明しているのであるから、刑の廃止の主張はいずれの点から見ても採用できない』とし、憲法違反の問題に関しては、『一旦有効に成立した刑罰権を特に放棄しない趣旨の立法は、畢竟刑訴三三七条二号若しくは四一一条五号のごとき訴訟法又は刑法六条のごとき例外規定の適用のないことを明確にした立法であり、一旦失効した刑罰法規そのものを再び有効な法規として復活させるものではなく、それ故に、憲法三九条の事後立法や二重処罰とは何の関係もない全く自由な立法政策上の問題であり、したがつて、法律一三七号就中同八一号を目して法律の内容として不可能なことを定めるもので違憲であるとの説又はすでに失効した罰則を事後において復活させて過去の行為に遡及適用せしめるものであるという説は、法規そのものの将来に対する廃止又は失効とその廃止又は失効前に法規適用の結果発生した法律効果とを混同するものといわなければならない。また、本件政令二条一項の犯罪の前提となる指令の内容が平和条約発行後において憲法二一条に違反するとの説は、裁判時において、行為時法そのものが必ず存続していなければならないということを前提とするものであるが、前に説明したように、限時法の場合に行為時法を適用するのは、一旦失効した刑罰法規そのものをその失効後再び有効な法規として存続せしめることではないから、この説は前提において失当であり、仮りに指令の内容が憲法二一条に違反しているとしても、それは昭和二七年法律八一号が有効な法律と認められないこと、したがつて同法律によつて新らたに処罰できないことを説明し得ても、既に右法律前に発生成立した本件政令違反に対する刑罰が放棄、廃止されたことの説明とはなり得ない』と論ずるのである。

少数意見の内容は右のようなものであつて、その刑の廃止の本質に関する見解は確かに一説たるを失わないが、ただしかし本件において被告人を処罰する根拠が既に行為当時により発生成立した刑罰権によるものであるとしても、その刑罰権の発生はわが憲法を超越した権力に基礎をおく異例のものであるから、その権力消滅後においてこの刑罰権を行使実現する場合にはやはりそれがわが憲法の趣旨に適合するかどうかを検討する要があろう（このことは、井上裁判官及び小林裁判官の夫々の補足意見の中にも論ぜられている）。

なお、右のほか多数意見に属する真野、井上、小林各裁判官の補足意見、少数意見に属する斎藤裁判官の附加意見があり、活潑な意見が展開されているが、ここではすべてその紹介を控えることにする。ただこれらの所論中に見られる、免訴と刑法六条との関係に関する論議は別にその項において更めて考察することにしたい。

さて大分紙数を費してしまつたが、最高裁のこの判例は、その後の判例の基礎となり、類似の多くの事件について同旨の判決がなされている。すなわち、最判昭二八・一二・一六刑集七・一二・二四五七（覚書「言論及ビ新聞ノ自由」三項に関するもの）、最判同日同号二五二〇（指令「アカハタ及びその後継紙、同類紙の発行停止」に関するもの）、最判昭三〇・四・二七刑集九・五・九四七（覚書「言論及ビ新聞ノ自由」三項、同「新聞規則」三項に関するもの）、最判昭三一・一・二五刑集一〇・一・一〇五（覚書「言論及ビ新聞ノ自由」三項に関するもの、この判例は既出判例【4】と同一）等があり、また政令三二五号の前身たる昭和二一年勅令三一一号については、最判昭三一・一・二五刑集一〇・一・八九（覚書「新聞規則」に関するもの）がある。

等しく勅令三一一号又は政令三二五号違反事件であつて、以上述べたところとやや趣を異にするものに「日本の海外旅行者に対する旅行証明書に関する覚書」に関するものがある。すなわち同覚書に違反し最高司令官の承認を受けないで本邦から出国した罪（密出国）については、多数意見によれば、昭和二六年一二月一日以降刑の廃止があつたものとされているのである。例えば最判昭二九・一二・一刑集八・一二・一九一一（政令三二五号違反事件）、最判昭三〇・二・二三刑集九・二・三四四（勅令三一一号違反並に関税法違反事件）等がある。

この場合刑の廃止の時期が平和条約発効の時ではなく、昭和二六年一二月一日とされているのは、同日以降覚書が廃止されたことに基づく。

（二） 関税法違反に関するもの 関税法違反といつてもここで取上げるのは同法七六条及び一〇四条の規定に関して生じた問題である。右七六条は「免許ヲ受ケズシテ貨物ノ輸出又ハ輸入ヲ為シタル者」を処罰する旨規定し、同一〇四条は「本法ノ適用ニ付テハ、本州、北海道、四国、九州及ヒ命令ノ定ムル其ノ附属島嶼以外ノ地域ハ当分ノ間外国ト看做ス」と規定しており、このようにして命令をもつて定める附属島嶼以外の地域が外国と看做され、これらの地域についても密輸出入が認められることになつていたのであるが、行為後に右の附属島嶼を定める命令に変更があつたために、刑の廃止の問題が発生し、しかも、この命令の変更は、占領状態に伴つて行われ、しかも、そのことが判例の内容に影響を与えていると見られるので、この問題をここに取上げた訳である。

この問題について、最高裁の判例は最初刑の廃止に当らないものとしたが、後に免訴説に変つた。刑の廃止に当らないとする最高裁の判例の最初のものは、昭和三〇年二月二三日のそれである。ただしそれ以前において高等裁判所の判例で同趣旨のものが見られる。例えば、高松高裁は、

【64】 「昭和二七年二月六日大蔵省令第五号（同月十一日から施行）により関税法第百四条に所謂外国とみなす地域が北緯二十九度以南の南西諸島に変更せられた結果本件密輸の行われた中の島は密輸出入の区域から除外せられるに至つたけれども、右は関税法違反に対する刑罰法規を廃止したものでないから刑訴法に所謂刑の廃止に当らないものと解する」（高松高判昭二七・一〇・六刑集五・一一・一九〇八）。

と判示し、これと同趣旨のものに、福岡高判昭和二七・一二・四刑集五・一三・二三九一がある。

ところで最高裁の判決としては昭和三〇年二月二三日のものを挙げなければならない。この判例は前出(一)の終りの本文中に紹介したものと同一であり、事案は昭和二一年勅令三一一号違反(密出国)並びに関税法違反(密輸出入)事件で、密出国の点については、すでにのべたように、刑の廃止があつたものとしながら、被告人等の密輸出または密輸入の行為に対し、夫々関税法七六条を適用した上刑の言渡をしたものである。判示は直接は刑の廃止にふれるところがないが、刑の廃止にあたるとする少数意見を排斥し、刑の廃止にあたらないとする立場に立つものであることは論がなく、判例集においては、その要旨を次の如く表示しているので、これを左に掲げることにする。

【65】「南西諸島大島郡が外国とみなされていた当時、免許を受けないで日本内地から同地域へ、若しくは同地域から日本内地へ貨物を密輸出し、若しくは密輸入した罪については、その後右地域がわが国に復帰し外国とみなされなくなつても、刑の廃止があつたものとはいえない」(最判昭三〇・二・二三刑集九・二・三四四)。

この判例においても、右多数意見に対して免訴すべしとする少数意見があり、しかも、この中に示された意見が後に多数意見となつて判例が変更されているので、煩をいとわず左にこれを紹介する。

この少数意見は、真野、小谷、藤田、河村、谷村、小林の六裁判官によつて主張されているものであつて、南西諸島大島郡大和浜及び名瀬港は、本件行為当時は、昭和二四年五月二六日大蔵省令三六号によつて関税法上外国と看做され、この大蔵省令は昭和二七年四月一六日大蔵省令四二号(平和条約発効の日より施行)により廃止されたが、同時にこれに代るものとして制定された昭和二七年四月七日政令九九号(平和条約発効の日より施行)により引続き外国と看做されていたのであるが、昭和二八年一二月二四日政令四〇七号「アマミ群島の復帰に伴う国税関係法令の適用の暫定措置に関する政令（同月二五日より施行）により、もはや外国と看做されないものとされるに至つた。したがつて、爾後同地域に対する貨物の輸出若しくは同地域よりする貨物の輸入については、関税法所定の免許を受けることを必要とせず、本件行為のごときは何等犯罪を構成しなくなつたのであり、このような場合には、刑訴四一一条五号にいわゆる「判決があつた後に刑の廃止」のあつたものと解するのを相当とする、というのである。右のように、多数意見にしても、少数意見にしても、そのそれぞれの結論が導き出された理由については多く述べられていない。ただ右少数意見の一人たる小林裁判官の補足的意見が注目すべきである。すなわちその所論の要旨は、『本件において処罰の根拠となる刑罰法規は関税法一〇四条、七六条、昭和二四年大蔵省令三六号であるが、これらの立法が当時わが国の領土の一部であつた地域を外国と看做しているのは、わが国わが国民にとつて特別に必要な理由によるのではなく、全く占領下の連合軍との関係からやむを得ず行つた措置であつて、実質的には連合国の利益以外の何ものでもなかつたと見るべきであり、本件においてはとくにこのことを注意しなければならない』『一般に特定の刑罰法規が明らかにその有効期間を定めていない場合に、その後その法規の改廃が行われても、それだけで常に直ちに刑の廃止があつたと解することはできないが、その行為に対する国家的又は社会的評価が裁判時において全く変更し可罰性ある社会悪としての本質を根本的に失つて仕舞つた結果、行為時における関係も同様に消滅したと見なければならないような場合には刑の廃止があつたと見るべきである』『本件地域は以上のような理由によつて外国と看做されたのであり、平和条約発効後なお本件地域を外国と看做す期間が続いたとはいえ、遂に昭和二八年一二月二四日政令四〇七号によってこれに関する法規が廃止されたことは、本件地域が全く密輸出入というようなことが起り得ないはじめの状態に戻ったことにほかならない。このことは、単にある行為に対する評価が裁判時において変更したというよりは、むしろはじめから適法な行為であった状態に復したというのが事実に適合し、なお強く刑の廃止があったと解すべき充分な理由があるといわなければならない』というのである。

多数説が、本件における密出国の点について免訴説をとりながら、関税法違反の点について免訴説を排斥したのは、後者においては、その処罰の根拠となる関税法その他の法令が、ポツダム命令に属しない、という点にあり、これに反して小林裁判官の意見は、ことを実質的に考察してこれをそれと同一視すべきものと考えたことによるものと思われる。

右判例後昭三一・五・二三(刑集一〇・五・附録二)、昭三一・七・四、昭三一・七・一一(刑集一〇・七・一三五)、昭三一・七・一八、昭三一・九・二六(刑集一〇・九・一四〇二)の各判決においていずれもこの態度を変えなかったが、昭和三二年一〇月九日の二つの判決において免訴説に転じた。一つは奄美大島との間の輸出入に関するもので、

【66】「奄美大島は(中略)同月二五日(昭和二八年一二月二五日―筆者註)以降は外国とみなされなくなり、本邦の地域とせられることになった。従って同日以降は、本件公訴事実のような、税関の免許を受けないで貨物を奄美大島に輸出する行為及び同島から貨物を輸入しようと図ることは右政令九九号の改正の結果として、何等犯罪を構成しないものとなったので、これによって右行為の可罰性は失われたものというべく、本件は刑訴三三七条二号にいう「犯罪後の法令により刑が廃止されたとき」に該当するものと解しなければならない。……この点に関する従来の判例はこれを変更する」(最判昭三二・一〇・九刑集一一・一〇・二四九七)。

というのであり、他の一つである口之島との間の輸出入に関する判例（最判同日同・二五〇九）もこれと全く同趣旨である。判示は免訴の理由として単に「右行為の可罰性は失われたものというべく」と云つているのみであり、従来の幾多の判例を変更する判例としては、まことに説示不十分なところがあることを感ぜざるを得ない。

右両判例とも、右の多数意見に対し、田中、島、斎藤、入江、池田、高橋の六裁判官は、すでに判例【53】及び【57】において示された斎藤、沢田両裁判官の論法をその中に取入れながら、従来の判例を支持している。免訴説に転じた以後なお最判昭三二・一二・一〇刑集一一・一三・三一九七がある。

（三）　公益事業令　昭和二五年政令三四三号公益事業令八五条は公益事業に従事するものが電気又はガスの供給を正当な事由がないのに取扱わず、又は不当な取扱をしたときは、三年以下の懲役又は五万円以下の罰金に処する旨を規定していたが、同令はいわゆるポツダム命令に属し、昭和二七年法律八一号二項によつて、同年四月二八日より起算し一八〇日間法律としての効力を有するものとされ、次いでこれをそのまま法律として効力を有せしめようとする法案が国会に出されたが、遂に不成立におわり、同年一〇月二四日の経過とともに一旦失効した。ところがその後同年一二月二七日に至り、法律三四一号電気及びガスに関する臨時措置に関する法律が制定され、公益事業令と同一の内容の法規が施行されるに至つた。そこで公益事業令当時成立した犯罪について刑の廃止があつたものとされるかどうかが問題となつた。

まず昭和二八年一一月二〇日の広島高裁の判例は、右に述べた立法の経過を説明した後、同令はポツダム命令ではあるが、その実質について見れば従来の電気事業法及びガス事業法の両法律に代るべきもので、単に占領中の一時的臨時的な性格を有するに過ぎない占領法規であつたとのみは解せられないこと、同令の失効に際しては、訴訟遅延によつて刑罰を免れる工作をする虞はなかつたこと等を理由として、

【67】「公益事業令をもつて限時法としてその失効後も尚従前の刑罰法令により処罰を認めるものと解することはできない」（広島高判昭二八・一一・二〇刑集六・一三・一八三四）。

と判示した（この判例は更に、本件のように、行為当時の法律が一旦失効した後一定期間を置いて内容上これと同一の法規が制定された場合にも、刑法六条、刑訴三三七条二号により、免訴すべきものとしているが、この点は後に刑法六条と刑の廃止の関係について述べる際に再説することにしたい。後述四参照）。

右と同趣旨のものに東京高判昭二九・一・二二（判時二三・四九六）がある。

なお公益事業令の前に行われた電気事業法違反の罪につき、最高裁の次の判例がある。事案は昭和二三年一〇月電産労組のストライキの際被告人が当該係員に指示して、戸畑発電所ボイラー罐の操作を停止したことにかかるものである。

【68】「職権で調査すると、右電気事業法は、昭和二五年政令三四三号公益事業令附則二項によつて廃止され、同令は同年一二月一五日から施行されたが、同令附則二項は、「この政令の施行前にした行為に対する罰則の適用については、第二項及び前項の規定にかかわらず、なお従前の例による。」と規定していた。ところが、昭和二七年法律八一号ポツダム宣言の受諾に伴い発する命令に関する件の廃止に関する法律によつて、昭和二〇年勅令五四二号に基く命令、即ち所謂ポツダム命令は、別に法律で、その廃止又は存続に関する措置がなされない場合においては、同法施行の日たる昭和二七年四月二八日から起算して一八〇日間に

限り法律としての効力を有するものとせられたが、右一八〇日の最終日は同年一〇月二四日に当るところ、同日迄に公益事業令に関する立法上の措置は何らなされることなくして経過したのであつて従つて同令は右一〇月二四日限り失効したものと解すべきである。よつて本件公訴事実については、犯罪後の法令により刑が廃止されたときに当ると解すべきであるから、検察官の上告受理申立につき判断を与えるまでもなく、刑訴四一一条五号により、原判決及び第一審判決を破棄し、同四一三条但書、四一四条、三三七条二号により、被告人に対し免訴の言渡をなすべきものとし、主文のとおり判決する」（最判昭二九・一一・一〇刑集八・一一・一七九一）。

この判例においては、少数意見として、田中、斎藤、木村三裁判官の反対意見がある。この点については後述**四**において述べる。

（四）その他

(1) 婦女に売淫させた者等の処罰に関する勅令

これは連合国最高司令官の「日本における公娼廃止に関する覚書」実施のために昭和二二年勅令九号として発せられたポツダム命令であり、その一条、二条において暴行又は脅迫によらないで婦女を困惑させて売淫させた者及び婦女に売淫させることを内容とする契約をした者を処罰しているのであるが、その違反行為が平和条約発効後処罰し得るや否やが問題となつた。この点について次の判例がある。

【69】「本件勅令九号は昭和二七年四月一一日法律八一号ポツダム宣言の受諾に伴い発する命令に関する件の廃止に関する法律により一応一八〇日の存続効を認め、同年五月七日法律一三七号ポツダム宣言の受諾に伴い発する命令に関する件に基く法務府関係諸命令の措置に関する法律一条により法律としての効力を有するものとされたのである。そして同勅令の基本たる昭和二〇年勅令五四二号は平和条約発効とともに廃止せられたけれども本件勅令九号は平和条約発効後においても前記法律により法律として存続しているのであ

って失効していないのである。」（最判昭二八・八・七刑集七・八・一七〇五）。

(2)　昭和二三年政令二〇一号（公務員の争議行為禁止）に関するもの

この政令は昭和二三年七月二二日附連合国最高司令官の書簡に基づき発せられたポツダム命令である。名古屋高裁の判例がある。

【70】「昭和二十四年六月一日から日本国有鉄道法並に公共企業体労働関係法が施行せられ、国鉄職員に対しては、争議行為は禁止されているが、これが違反に対しては、刑罰が科せられないことは、所論の通りであるが、政令第二〇一号は、暫定的のもので法律と同一の効力があることは前記説明の通りで、その附則に規定してある如く、昭和二十三年七月二十二日附マ書簡に基き、当時全官公が八・七ストを宣言し、事態極めて緊迫していたので、これを未然に防止し、国民大衆を飢餓と災害から救うため、国家公務員法の改正及び公共企業体に関する諸法律の制定されるまで、暫定的応急措置として制定せられたものであつて、当初から廃止又は変更されることが予想せられ、而も事犯があつたときは、即時にこれを処罰し、以てその趣旨を達成すべきものであるから、所謂限時法に該当し、裁判進行中に変更廃止されても、その本来の目的とするところは、行為時法を適用すべきものであつて、刑法第六条又は旧刑事訴訟法第三六三条第二号（新刑事訴訟法第三三七条第二号）の適用がないものである（昭和十五年（れ）第二三一号同年七月十八日大審院判決参照。）」（名古屋高判昭二四・七・一二刑集二・一・三四）。

三　その他

以上述べたほか、次のようなものを挙げておこう。

(一)　特別法の廃止に関するもの

【71】「普通法ニ優先シテ適用セラルヘキ特別法ニシテ廃止セラレタル以上ハ特別法ニ規定シタル同一事

項ニ関シテ普通法ノ適用ヲ見ルヘキハ当然ノ法理ナルカ故ニ第一審検事カ治安警察法違反トシテ同法ヲ適用スヘカリシ事項ニ付公訴ヲ提起シタル後原審公判中同法廃止セラレタルヲ以テ原審ニ於テ其ノ公訴ニ係ル事項ニ付刑法脅迫罪ノ成立ヲ認メ普通法タル刑法ヲ適用シタルハ毫モ違法ニ非サルニ依リ公訴ナキ事項ニ付審理判決シタリトノ批難ハ当ラス」(大判大一五・一一・一二刑集五・五一九)。

けだし当然であろう。

(二)　銃砲火薬類取締関係法令に関するもの　まず被告人が日本国憲法施行前たる昭和二二年一月中旬頃銃砲火薬類取締法施行規則(明治四四年勅令一六号)二二条に違反して爆薬及び導火線を所持していた事案について、日本国憲法施行後なお処罰し得るや否やに関し問題を生じた。すなわち同規則二二条は、同条に限定的に列挙した者がその火薬類を所持する場合のほかは、火薬類を所持することを得ないものと規定し、同四五条はその違反行為を処罰する旨の規定であるが、この施行規則の基本法である銃砲火薬類取締法には罰則を定めることを命令に委任した規定が見られないため、昭和二二年法律七二号「日本国憲法施行の際現に効力を有する命令の規定の効力に関する法律」一条の、「日本国憲法施行の際現に効力を有する命令の規定で、法律を以て規定すべき事項を規定するものは、昭和二二年一二月三一日まで、法律と同一の効力を有する」との規定との関係で問題となつた。これについては、左の如く判示し免訴の言渡をしている。

【72】「前記施行規則四五条で火薬類の所持に対し罰則を設けている規定は、法律七二号一条にいわゆる「日本国憲法施行の際現に効力を有する命令の規定で、法律を以て規定すべき事項を規定するもの」に該当するわけであり、従つて昭和二二年一二月三一日までは法律と同一の効力を有するが、昭和二三年一月一日

以降は国法としての効力を失うものと言わなければならぬ」（最判昭二七・一二・二四刑集六・一一・一三四六）。

ただし右に対し、刑の廃止にあたらないとする斎藤裁判官の少数意見がある。

右のほか、匕首の携帯につき、昭和三〇年法律五一号による銃砲火薬類所持取締令の一部改正に関連して、「正当な理由がなく「あいくち（匕首）」を携帯することは、新旧いずれの法律においても変りはないから、刑の廃止があつたとはいえないとする判例（最判昭三一・一二・二五刑集一〇・一二・一七〇一）がある。

（三）　印紙税法に関するもの　　昭和三二年法律六九号土地改良法の一部を改正する法律附則八項により印紙税法の一部（印紙を貼用しなくてもよい場合を列挙した五条の規定）が改正された結果土地改良区の業務に関して発する証書帳簿には印紙を貼用することを要しなくなつた場合につき、札幌高裁の判例がある。

【73】「現在では土地改良区はその業務に関して発する証書、帳簿については印紙税を納めることを要しないこととなつたので、印紙税法第一一条との関係において、土地改良区がその業務に関してすでに発した証書を保存している者に対しては犯罪後の法令により刑の廃止があつた場合にあたるものとして処理すべきではないかとの疑を挟む余地があるかの如く見えるが、しかし、印紙貼用（納税）義務者が印紙を貼用すべき証書、帳簿に相当印紙を貼用しないときはこれを処罰する法規範を定めた印紙税法第一一条の規定は、本件犯行時である昭和二九年四月二〇日および同年一二月二五日当時においては勿論、現在でもなお厳として存在し、前記法律第六九号による印紙税法の一部改正は、ただ印紙税法第五条の掲げる証書、帳簿のうち土地改良区の業務に関して発するものを加え、したがつて、土地改良区のかかる証書、帳簿については、昭和三二年七月一七日以後においてはこれに印紙を貼用（納税）することを要しないことを明らかにしただけであつて、直接前記印紙税法第一一条を改廃するものでないことはもとよりこれにより同法条の規定する所為一般

について の禁遏処罰の実質的理由と根拠とを失わせるものでもないから、右改正は、すでに成立した右法条違反の犯罪に対する刑の廃止があつた場合にはあたらないと解するを相当とする」（札幌高判昭三二・九・一七刑集一〇・六・五六一高裁特報四・一八・四七八）。

本件は、印紙税法という特殊な法領域について生じた問題ではあるが、しかし、法理論としては、統制法令に関する告示の廃止の場合と同様、興味ある問題を含んでいるように思われる。

四　刑の廃止の本質・刑法六条との関係

以上一乃至三において私は、判例上いかなる場合に刑の廃止が認められまたいかなる場合にこれが否定されているかを概観した。そこで私は以下において、より理論的な問題すなわち「刑の廃止」の本質および「刑の廃止」と刑法六条との関係につき判例に表われた見解を一瞥してこの項を終りたいと思う。

「刑の廃止」の本質については、多くの学者は既存の刑罰法令の廃止であると考えているようであり、また刑法六条との関係については、刑の廃止の場合にも実体法上はこの規定の適用または類推によつて、より軽きものすなわち廃止後の規定を適用し、手続的には刑訴三三七条二号により免訴を言渡すものとする説（定塚「限時法」刑事法講座一・五六―五七、木村・読本全訂新版四四、四五、団藤・刑法二八―二九、市川・総論五一九）と、右六条とは関係なく刑訴三三七条二号により免訴すべきものとする説（植松・概論九六、斉藤・総論六四―六五、宮崎・総論四八等）とが対立している。

まず「刑の廃止」の本質について、判例はやはり右の通説に従つているものと見てよかろう。ただ特に注目すべきことは、この通説的な考え方と異る見解がすでに紹介した判例中に少数意見として見られることである。前出判例【63】中における田中、霜山、斎藤、木村四裁判官の意見がこれである。それは「刑の廃止」ということを刑罰法令の廃止そのものと理解せず、むしろ行為時の法律によつて既に発生し、成立した国家刑罰権の放棄（明示又は黙示の）と見、ただ犯罪後において、ある刑罰法規が廃止され又は消滅した場合には、すでに発生、成立した刑罰権も暗黙に放棄したものと認むべき場合があるにすぎないもの、とするのであり、根本においては行為時法主義に立脚するもの（この点については特に斎藤裁判官がその附加意見中において明白にしている）である。

しかし右の見解は、実は、それ以前の判例においてもすでに斎藤裁判官の少数意見として主張されているのを見るのである。それは、銃砲火薬類取締法施行規則違反に関する前出判例【72】の中においてであり、そこで同裁判官は「訴訟法に『犯罪後の法令により刑の廃止ありたるとき』というのは、犯罪後の法令により積極的に、すなわち明示又は黙示を以て、既に成立した刑罰を特に廃止するときを指すのである。なぜならば、罪刑法定主義に基く法治国である以上、犯罪者が行為時法によつて処罰されるのは当然であつて、行為時法によつて既に成立した刑罰は、その後における大赦又は法令に因つて特に消滅廃止されない限り、存続するのは当り前であるからである」とされているのである。また、その後においても、前出判例【68】及び政令三二五号違反被告事件における多くの判例中に少数意見として主張されている（例えば昭和二八・一二・一六の両判決、刑集七・一二・二四五七及び二五二〇のほか前出判例【63】の紹介の末尾に挙げた各判例）。

次に刑法六条との関係であるが、判例の多くは、この点に触れないか又は例えば、価格を定める告示が廃止されても刑法六条を適用すべきものでない、といつたような消極的な表現をとつているが、

（例えば名古屋高判昭二四・九・六特一・一一〇、同昭二四・一二・二〇特三・一二九の外大阪高判前出判例【51】広島高判同【54】）、次の広島高裁の判決は積極的に、刑の廃止の場合に右六条の規定の適用がある旨を判示している点で注目してよかろう。

この判例は前出判例【67】と同一のもので公益事業令違反事件におけるものであるが、すでに【67】において紹介した判示に引続いて次のように判示している。

【74】「右刑法と刑事訴訟法の規定（刑六条、刑訴三三七条二号、三八三条二号、三九七条、四一一条五号―筆者註）を統一的に解釈するときは、刑の廃止とは刑を規定していた法令の廃止（失効を含む）を意味し、且つ刑の廃止は前記刑法第六条にいわゆる刑の変更の軽い極限にあたるものと解し得るから、従って又同条にいわゆる刑の変更の中には狭義の刑の変更と刑の廃止の場合の双方を含むものと解すべく、かくして刑罰法令が廃止若しくは失効したるときは、実体面においては刑法第六条により手続面においては刑事訴訟法第三三七条第二号により免訴が言渡されるものと解するのを相当とする。然るときは本件は、行為時法と裁判時法との間に軽い極限の中間時法ともいうべき刑の廃止があつた場合にあたるから、これに対し免訴の言渡を為すべきことは当然とするところであるといわねばならない」（広島高判昭二八・一一・二〇刑集六・一三・一八三四特に一八三八）。

なおこのほか前出判例【53】中において、真野裁判官がその反対意見中で、「本件における統制額指定の告示の廃止が、刑法六条にいわゆる「刑の変更」（刑の廃止又は変更）並びに旧刑訴三六三条及び四一五条にいわゆる「刑の廃止」に該当することは明々白々である」とされていることを指摘しておこう。

このような見解に対して、斎藤裁判官は前出判例【63】における少数意見の附加意見として、刑法六条は、その法文上明らかなように、犯罪行為時法の刑が犯罪後の法律に因り変更したときに限り規定したに止り、ドイツ刑法二条a二項後段のように行為当時の刑罰法規が判決言渡の時に廃止され又は消滅した場合にその法規を適用しないで無罪たらしめる趣旨の実体法規ではなく、また刑訴三三七条二号にいわゆる「犯罪後の法令により刑が廃止されたとき」と類推解釈すべき訴訟法規でもなく、従つてこれを免訴の根拠規定とすることのできないことはいうまでもない、とされている（刑集七・七・一五八四―一五八五）。

私はこの問題について前出判例【74】のいうように「実体面においては刑法六条により、手続面においては刑訴三三七条二号による」ということが、現行法の解釈として果して理論的に可能かどうかにつき大なる疑問を持つものであり（特に免訴判決の本質との関連において）、この点に大きな問題が潜んでいると考えるものであるが、今は深くこれに立入らない。

四　大　赦

一　大赦の性質及び効力

大赦は特赦・減刑・刑の執行の免除及び復権と並んで恩赦の一種に属することはいうまでもない。そして旧恩赦令（大元勅令二〇）二条によれば大赦は勅令をもつて罪の種類を定めて行うものとされ、また同三条は、大赦は別段の規定ある場合を除くほか大赦があつた罪につき㈠刑の言渡を受けた者に付てはその言渡は将来に向つて効力を失い㈡未だ刑の言渡を受けない者については公訴権は消滅する旨規定した。現行恩赦法（昭二二法二〇）の二条及び三条もほぼ同様であり、ただ大赦は政令で罪の種類を定めて行うものとし、またその効力については、二条の政令（すなわち大赦を定める政令）に特別の定めある場合のほか㈠有罪の言渡を受けたものにつきその言渡は効力を失い㈡また有罪の言渡を受けない者については公訴権は消滅するものとしている。ところで大赦がその性質上行政作用に属することについては疑いはないが、ただそれが公訴権を消滅せしめるに止まるか、それとも刑罰権を消滅せしめる結果公訴権も消滅するに至るのか議論の存するところである。事は公訴権の本質、その刑罰権との関係に触れる根本的な問題であり、にわかに論断することはできないが、すでに本稿の冒頭において紹介した判例【1】において、ある程度この点に関する各裁判官の意見が示されているので、ここであらためて簡単にこれをふり返つて見ることにしたいと思う。

この判例における多数意見は、恩赦は、政治上又は社会政策上の必要から、司法権行使の作用又は効果を、行政権で制限するものであり、刑の言渡を受けた者に対しては判決の効力に変更を加え、まだ刑の言渡を受けない者に対しては刑事訴追を阻止するものであり、恩赦令三条の規定から見ても大赦は未だ刑の言渡を受けない者に対して公訴権を消滅させるものである、とするものであり（最高刑集二・六・五三三—五三四）、この点が同判例が免訴判決の性質について形式裁判説をとつた重要な根拠となつているのであるが（同五三四—五三五）、これに対して、大赦はある罪を犯した一般者に対しその罪を赦し刑を免ずるもの、すなわちその犯罪性を滅却し刑罰を全免し実体上の刑罰権を消滅せしめるものであり、この実体法上の効果を訴訟法に及ぼし、実体的公訴権を消滅せしめ、これを理由に免訴の言渡をすべきものとする斎藤裁判官の意見（同五四七—五四九）、大赦はある種類の犯罪について当該犯罪によつて生じた刑法上の効果言い換えればその犯罪に対する国家刑罰権を消滅せしめるものであり、恩赦令三条は「未タ刑ノ言渡ヲ受ケサル者ニ付テハ公訴権ハ消滅ス」と規定しているが、それは大赦が国家刑罰権を消滅せしめるからである、という霜山、沢田両裁判官の意見(同五五一)があり、ともにその主張する実体裁判説の根拠となつている。

右のほか栗山裁判官は、大赦は公訴の取消と同一視すべきもので、公訴を消滅させることによつて訴訟関係を消滅させるものである、という特殊の考え方から出発して、公訴が消滅すれば裁判所の活動も停止し裁判所は実体判決をすることができず又その必要もなくなるが、手続を打切るため免訴判決をするものである、として形式裁判説を主張している(同五四四—五四五)。もつとも同裁判官が右のように主張しながら続いて(同五四六)、「大赦は大赦令の適用ある特定数人に対する公訴事実から罪となる性質(犯罪性)を滅却させるもの」であり「公判請求書の犯罪事実がなかつたと同じ結果となるもの」としているのは解しがたい。

二　大赦のあつた罪と他の罪との関係

(一)　連続犯の場合　刑法五五条削除前認められていた連続犯につき、当初東京高判昭二二・一一・一八(刑集一・一・一六)及び最判昭二七・一一・一一(刑集六・一〇・一一八二)は、たといその一部について大赦があつてもその全部が赦免されないものとし、特に後者の場合は、昭二七・四・二八政令一一七号大赦令二条が「前条に掲げる罪に当る行為が、同時に他の罪名に触れるとき、又は他の罪名に触れる行為の手段若しくは結果であるときは、赦免しない」としたことを根拠としこれを連続犯に及ぼしたものであつたが、最高裁は後この態度を変更して、右規定を限定的に解し、連続犯については規定を欠くが故に、全体につき赦免しないものと解することを得ない、とした（最判昭二八・六・四、刑集七・六・一三七一）。

（二）　併合罪の場合　　併合罪中甲罪につき懲役刑を他の乙罪につき罰金刑を選択し両者を併科した言渡がなされた後乙罪につき大赦があつた場合、上告審の措置につき次の判例がある。

【75】「本件公訴事実中第一審判決判示第一の㈢の所為については、昭和二七年政令一一七号大赦令一条八三号により大赦があつたので、刑訴一一条五号、四一三条但書、三三七条三号により原判決及び第一審判決中判示第一の㈢につき罰金刑を言渡した部分を破棄し、右公訴事実につき被告人を免訴すべきものである」（最判昭三五・五・六刑集一四・七・八六一）。

事案は㈠米軍軍票の所持（昭二四政令三八九号一条違反）及び㈢占領軍財産の所持（同二条違反）に関するもので、原判決が㈠㈢を併合罪とし㈠につき懲役刑㈢につき罰金刑を選択、両者を併科する言渡をした後に至り㈢の罪（右判示中第一の㈢の行為とあるのがこれである）についてのみ大赦があつた場合である。

なお右事件と同様の軍票所持罪と財産所持罪とを併合罪とせず観念的競合とし、大赦令の適用をしなかつた第一審判決を違法として破棄した左の東京高裁の判決がある。

【76】「しかし右第二違反罪については昭和二七年四月二八日政令第一一七号によつて大赦があつたので、右事実の中連合国占領軍要員の財産たる煙草およびウォーカージンを所持していたものとする点に対しては被告人を免訴する旨の判決の言渡をしなくてはならない筋合である。然るに原判決は事茲に出でず、判示第二の事実を以て一個の行為にして右第一条違反罪と第二条違反罪との二個の罪名に触れる場合と做し、そのことから右政令一一七号二条の規定によつて右の点につき赦免するの措置を採らなかつた。これは原判決が所持を以て単に自然的な、社会的な事実としてのみ観、その現実的支配を構成要件に関係させた上、構成要件的に意味ある現実的支配と観なかつた誤に陥つていた為に外ならないからである。従つて、原判決はこの点

において判決に影響を及ぼすこと明らかな、法令の適用に誤あるものというべきである。」(東京高判昭二七・一二・二七特三七・一五七)。

本件において被告人は、軍票と煙草その他の物とを同一日時、同一場所において所持していたものであることから、想像競合か併合罪かが問題となつたのであり、そしてその結論の如何によつて右大赦令二条(内容については前述二の(二)本文中の説明参照)が適用されるかどうかの重大な差異が生ずる訳である。その所持する物の如何によつて罰則を異にするときその両種の物を同時に所持している場合を如何に見るかの根本的な、しかも困難な問題がひそんでいるようである。

三　上訴及び再審と大赦

旧刑訴に関するものであるが、

【77】「当初適式な上告申立をして後大赦があつた場合には、期間内に上告趣意書が提出されないときでも免訴の判決をすべきである。」(大判昭二一・一二・二四刑集二五・六六)。

があり、また確定判決後大赦があつた場合再審を許すかどうかにつき、これを許さないとする東京高裁の決定(昭二七・四・二四特二九・一四八)がある。

五　時効の完成

公訴時効については、その期間を定めた刑訴二五〇条の適用の仕方、期間の起算点、時効の停止等について問題を生ずる。

一　刑訴二五〇条の適用

（一）　処断上の一罪　牽連犯について、旧法についてではあるが、

【78】「叙上判示被告人ノ行為ハ結局刑法第五四条後段ノ規定ニ従ヒ処断スヘキモノニ該当シ斯ル場合ニアリテハ其ノ重キニ従ヒ処断スヘキ罪ノ刑ニ依リ牽連犯ヲ構成スル犯罪行為全体ニ付時効ノ成否ヲ判定スヘキモノナレハ則チ本件ニアリテハ其ノ最モ重キ詐欺罪ノ刑ニ付定メタル時効ニ従フヘキモノトス」（大判昭七・一一・二八刑集一一・一七四二）。

があり、また観念的競合については、

【79】「想像上数罪は本来実質上数罪ではあるが、刑法五四条一項前段の規定により科刑上一罪として扱われるものであるから、想像上数罪の公訴時効は、その最も重きに従い処断すべき罪の刑によりその完成を認めるべきで、想像上数罪を構成する各犯罪行為の刑により各別にその完成を認めるべきではないと解するを相当とする」（名古屋高判昭三二・一二・二五刑集一〇・一二・八〇九高裁特報四・二四・六七九）。

があり、横領及び封印破棄の想像競合につき封印破棄の点について公訴時効が完成したものとした一審判決を破棄している。

（二）　情状により他の刑を科することを得る旨の規定ある場合　ある罪について、まずある刑を科する旨定め、さらに情状によつて他の刑を科し得る旨を定めている場合にも、重き刑によつて時効期間を定むべきものであるとする判例に、福岡高判昭二九・四・二八（刑集七・四・五九五―同一条文中項を異にして二つの処断方法を規定している場合で、昭二三・一二・二一法二六二号による改正前の物品税法一八条に関するもの）及び東京高判昭二九・一・二〇（東京高時報五・一・七―条文を異にし二個の処断方法を規定している場合で、昭二四・四・三〇法四三号による改正前の取引高税法四一条及び四二条に関するもの）がある。

（三）　両罰規定の場合　いわゆる両罰規定によつて行為者たる自然人と法人とが処罰される場合

行為者に対して自由刑の規定があるときは、罰金を科せらるべき法人の処罰についても重い懲役刑によるべきことにつき次の二つの判例がある。ともに物品税法二二条による法人の責任に関するものである。但しその理由においては両者同一でない。まず東京高裁は、

【80】「おもうに両罰規定によつて罰金を科せられる法人の責任は行為者本人のそれとは別個のものではあるが、該責任たるや、行為者本人の責任に当然随伴するものであるから、行為者本人について責任の存続すると認められる限り、法人の責任は否定されることはない。このことは、いわゆる両罰制度の本質上むしろ疑のない所である。ところで刑訴法第二五三条第一項は、時効は犯罪行為が終つたときから進行すると規定しているので、行為者本人の違反行為が長期一〇年未満の懲役にあたる罪である場合には、該違反行為の時効は刑訴法第二五〇条第四号によつて五年の期間を経過することによつて完成するわけであるから、該違反行為に対する両罰規定によつて法人に科せられる刑は、たとえ罰金であつたとしても、この法人の責任も亦、右と同じ期間は適法に追求されるものといわなくてはならない」(東京高判昭二九・一・二一刑集七・一一・一五東京高時報五・一・一四)。

とするに対して、高松高裁は、刑訴二五一条、二五二条、二五〇条等の趣旨から見て、公訴時効の算定の基準となる刑は、刑の選択、その加重減軽をする前の刑罰各本条の法定刑中の重い刑であり、物品税法二二条の場合も、各本条の法定刑を変更する趣旨ではなく、その各本条の法定刑中その罰金刑のみを科するという趣旨である、とし、

【81】「要するにある罪の公訴時効期間は、その罪自体について一定しており、その適用を受ける者が自然人であるか法人であるか、累犯等等のため法律上当然刑の加重ある場合又は心神耗弱、中止未遂等等のため法律上当然刑の減軽ある場合によつて、異るものではなく、その刑罰本条の重い刑に従つて一定しているのである」(高松高判昭三〇・七・二九高裁特報二・一六・一七合併号八三五)。

と判示している。そして右に附言して、本件の一審判決が同様の結論を出す根拠として、前記判例【80】とほぼ同様の見解に立脚し、法人が責任を問われるのは「行為者が違法行為としたのに胚胎するもので、その責任は行為者本人の責任に当然随伴し、従つて行為者本人について法規上その責任の存続するものと定められている限り、法人の責任も消滅しない」という説明をしていることは、刑事手続上の問題である公訴時効の問題を刑事責任の存続消滅という実体法上の問題として解決しようとするところに無理があるばかりでなく、行為者本人の死亡その他時効以外の理由で本人の責任が問われなくなつた場合における法人に対する公訴時効期間はどうなるかの問題はこの説明によつては解決されない、と論じている。

このケースにおける第一審の判決及び上記判例【80】が、法人の責任は行為者本人の責任に随伴し、行為者本人の責任のある限り法人の責任も消滅しない、といつているのは、個別的・具体的随伴性をいつているのではなく、一般的・抽象的随伴性をいつているのであるとも解し得られないこともなく、また公訴時効の完成は未確定な刑罰権を消滅せしめるものであるという見解もあり得るから、右の非難が全面的に当つているとも言いかねるが、しかしやはり、公訴時効期間は罪によつて定まるもので、人によつて異るものではないとすることは、少くとも現行法の解釈としては正しいと思う。このような問題は、理論的には、身分により刑の軽重ある場合の共犯(刑六五条二項)についても起り得るであろうし、そしてその場合右いずれの見解に立脚するかによつて結論を異にする可能性(勿論共犯の理解の仕方にも関係するが)もあり得るであろう。

(四)　犯罪後の法令により刑の変更があつた場合　　犯罪後刑の変更があつても、時効期間に関しては刑法六条は適用されない、とするものに次の判例がある。事案は、外国人登録証明書の偽造に関するもので、所為の当時(昭二四年七月初旬頃)は、この行為は昭二二勅二〇七号外国人登録令一二条八号に該当し、六月以下の懲役若しくは禁錮、千円以下の罰金又は拘留若しくは科料にあたる罪(従つて時効期間は三年)とされていたが、後昭二四政令三八一号(昭二五・一・一六施行)により右罰条が廃止され、その結果右の行為は刑法一五五条一項に該当(従つて時効期間は七年)するものとなつた場合である。

【82】「右の如く刑の変更がある結果、その罪に対する公訴時効の期間が変つた場合には新旧両者を比較して短い方の期間を適用するものと解すべきではない。刑法六条は刑の比照に関する規定であつて、時効期間には適用がないものと解するのが相当だからである。従つて、時効の完成については、法律の一般原則に従つて、当時に施行せられている法令を適用しなければならない。」(札幌高判昭二九・六・二七刑集七・五・八〇一)。

右のように判示し、前記罰条廃止の日たる昭和二五年一月一五日には未だ犯行の日から三年を経過していないから時効は完成せず、同月一六日以後は刑法一五五条一項の適用ある結果時効期間は七年となり、公訴の提起された昭和二八年一月一四日には時効は完成しない、と論結し、時効の完成を認めて免訴の言渡をした原判決を破棄している。本件において生じた問題は、実体法たる刑罰法規の変更が訴訟法に定める時効期間の算定にいかなる影響を与えるかという問題であり、時効期間自身を規定している刑訴法の規定自体(現行法でいえば刑訴二五〇条)の改正の場合と区別さるべきは勿論であるが、この場合実体法規は、独立して具体的刑罰権の存否及び内容を決定するための規準として作用するのではなく、訴訟法の規定(現行法でいえば刑訴二五〇条)を通じて、その作用(公訴権なり刑罰権の消滅)を現わすに過ぎないというところに問題がある。しかし、その場合それが評価規範として働くのは、やはり犯罪事実に対する実体的評価の面であることも否定できない。この両面を併せて考えたとき、私としては、本件のような場合には、刑法六条の適用はなく(この点においては右判例と一致)、むしろ常に行為時の法令によつて時効期間を定むべきもの(この点で右判例と反対)と解したい。そして、検察官としては、通例は行為当時の法律による時効期間を予定して捜査を進めてゆくであろうから、実際上も右のように解して不都合はないと思う。

(五)　時効期間を定める標準となる事実　以上(一)乃至(四)において述べたこととやや異る面において生ずる問題は、期間を定める標準となる事実(すなわち条文上からいえば刑訴二五〇条各号にいう「何々にあたる罪」)は公訴における訴因や罪名によるべきか又は裁判所が認定したところによるかの問題である。この点について、前出判例【5】が、検察官が名誉毀損罪として起訴した事実も、裁判所がこれを侮辱罪と認定したならば、時効期間は侮辱罪の刑(拘留又は科料)にしたがい一年とすべきものとしているほか、それ以前の最判昭二六・一二・二五(刑集五・一三・二六二三)は、恐喝として起訴したものを暴力行為等処罰に関する法律一条一項の罪にあたると認めた場合につき、又後述札幌高判(昭三一・一・三一刑集八・二・一三一高裁特報三・三・七六)は準起訴における訴因が刑法一九六条の特別公務員暴行罪であつたものを裁判所が同法一九五条一項のそれであると認定した場合につき、それぞれ同趣旨の判示をしている。このような見解と免訴の本質に関する形式裁判説との調査の問題については既に判例【5】について述べた際一言したところである。

二　時効の起算点

(一)　包括一罪の場合　最終行為の終了のときとすることは夙に大審院の判例とするところであるが(大判昭一一・一二・一四)、最高裁のものとしては、

【83】「被告人の右一の所為(昭和二三年六月一五日より同年九月三日まで五四回に亘り同一患者に麻薬を施用した所為—筆者註)が包括一罪であるとすると、該所為は旧麻薬取締法(昭二三年法律一二三号)三九条五七条の五年以下の懲役又は五万円以下の罰金に該当する罪であるから、公訴の時効は犯罪行為の終った日から五年の期間を経過することにより完成するものである」(最判昭三一・八・三刑集一〇・八・一二〇二新聞三三・五)。

がある。

(二)　営業犯の場合　営業犯についても(一)同様最終行為の終ったときとされる。

【84】「本件各所為(法定の貸金業者でないのに単一の意思をもって反覆継続して行った貸金行為—筆者註)は貸金業というべく、そして営業犯の公訴時効はいわゆる包括一罪の場合と同様に、その最終の犯罪行為が終ったときから進行するものと解すべきである」(最判昭三一・一〇・二五刑集一〇・一〇・一四四七)。

なお右と結論において同趣旨のものに東京高判昭二八・七・一四(特三九・二三)名古屋高金沢支判昭三〇・九・三(高裁特報二・一八・九三三)があり、いずれも不法貸金業に関するものである。後者はなお、かく解する理由として「蓋し一罪の一部について時効の完成を認める如きは公訴不可分の原則と矛盾するからである」と附言している。

(三)　不作為犯の場合　不作為犯中特に、法令の規定が一定の者に一定の期間内に一定の事項を届出でる義務をかし、その違反を処罰する旨を規定している場合に問題となる。判例上は、外国人登

録令及び隠匿物資等緊急措置令について問題となつている。

(1)　外国人登録令違反　昭和二二年勅令二〇七号外国人登録令附則二項、三項は、右勅令施行の際同年五月二日本邦に居住する外国人は、勅令の施行の日より三十日以内に同令四条の規定に準じて外国人登録の申請をしなければならないものとし、その期間内に申請をしなかつたときは同令四条一項違反の場合と同様に同令一二条二号により処罰することを定めていたが、その後昭和二四年政令三八一号「外国人登録令の一部を改正する規定」附則七項は、右の罪を犯した者の処罰については、なお従前の例によるものとし、更に、昭和二七年法律一二五号外国人登録法附則二項、三項は、右登録令を廃止すると共に、「この法律施行前にした行為に対する罰則の適用については、なお従前の例による」と定めている。

そこで、右三十日の期間内に届出をしなかつた罪の時効はいつから起算すべきかが争われた。届出義務を履行したときより進行するという判例と、届出期間が経過した時より進行するとする判例とが対立する。

(イ)　届出義務履行のときとする判例は、東京高判昭二六・三・七(特二一・三九)、同昭二六・八・二〇(東京高時報一・八)、大阪高判昭二七・一〇・七(刑集五・一二・一九二九)、最高判昭二八・五・一四(刑集七・五・一〇二六)、同昭二八・七・三一(刑集七・七・一六五四)等であり、いずれも、右登録申請義務は、登録期間経過後も存続し、その義務違反の状態は、それを履行するまで存続するということを理由とする。右のうち、第三の大阪高裁の判決及び第四の最高裁の判決を代表的なものとして左に掲げる。

【85】「登録不申請罪の公訴時効は不申請という犯罪行為が継続する間は進行しないと解すべきであるのを右の不申請罪を前記三十日の期間経過によつて犯罪行為が既遂となると同時に終了する即時犯と解し、その時から直ちに時効が進行すると結論するのは失当であると言わねばならない。」（大阪高判昭二七・一〇・七刑集五・一一・一九二九）。

【86】「昭和二二年五月二日勅令二〇七号外国人登録令は、外国人の入国に関する措置を適切に実施し、且つ外国人に対する諸般の取扱の適正を期することを目的とするものであるから（同令一条参照）、同令附則二項において「この勅令施行の際現に本邦に在留する外国人は、この勅令施行の日から三十日以内に、第四条の規定に準じて登録の申請をしなければならない。」と定めている「三十日以内」というのは、右期間内に限り是非とも登録の申請をなさしむべき特殊の必要があるから、該期間が定められたものではなく、ただ単に右登録申請義務の履行を猶予する期間として定められたに過ぎないものと解すべきである。それ故、その義務は、所定の期間の経過を以て消滅するものではなく、当該外国人が本邦に在留する限り、これを履践するまで継続するものであると認めなければならない。従つて、同附則三項によつて準用され同令一二条二号の登録不申請罪に対する公訴の時効の進行は、所定期間の経過の時から起算すべきものではなく、その後その義務の履践によつて義務が消滅した時を標準として起算するを相当とする」（最判昭二八・五・一四刑集七・五・一〇二六）。

（ロ）　右に対して、期間経過の時と解するものは、その理由において二つに分れ、不申請罪は期間経過と同時に成立完成する即時犯であるとするものと、期間経過後はたとい届出ても受理されず申請義務を履行することが不能であるからとするものとがある。前者に属するものに広島高判昭二七・一一・五（刑集五・一三・二六七四）があり、後者に属するものとしては、東京高判昭二六・一〇・二七（東京高時報一・七・九五）、同昭二六・一二・二八（東京高時報一・一四・二三二）等がある。

(2)　隠匿物資等緊急措置令違反　　これについては、

【87】「同令第一条所定の報告書を提出すべき者がこれを怠り所定期日までに報告書を提出しなかつたときはここに同令第十条所定の犯罪が成立することは勿論であるが、右犯罪はいわゆる真正不作為犯であつて且つ所定の調査物資を所有し又は占有する者の報告書を提出すると云う作為義務違反を対象とするものであるから、右期日以後においても右作為義務が消滅しない限り、犯罪は継続するいわゆる継続犯の性質を有するものと云うべく、期日徒過と同時に作為義務は消滅し犯罪は既遂に達し、その時から公訴時効が進行するものと解すべきではない」(東京高判昭二七・四・一六東京高時報二・六・一四五)。

がある。

三　時効の停止

次の諸点が判例上問題となつている。

(一)　準起訴手続における時効の停止　札幌高判昭三一・一・三一(刑集九・二・二三一高裁特報三・三・七六)は、『公務員特別暴行罪につき、事件を審判に付する旨の決定があつたときは、公訴の提起があつたものとみなされる(刑訴二六七条)から、時効の停止については同令二五四条一項の準用があり、従つて時効は右決定によつて進行を停止するもので、同法二六二条一項の審判請求によつて停止されるものではない。けだし右請求が同法二五四条一項の規定を排除し時効停止の事由に該当する旨の特別規定がないからである』とし、原判決を破棄し免訴を言渡したが、最高裁はその上告審においてこれを支持し、

【88】「公訴時効は公訴の提起によつてその進行を停止するものであり(刑訴二五四条)所論裁判所の審判に付する決定(同二六六条二号)があつたときは公訴の提起があつたものとみなされる(同二六七条)ことは刑訴法の明定するところである。これによれば、右審判請求に付する決定の時が公訴提起の効力を生ずる時す

なわち、公訴時効進行停止の効力を生ずる時となると解すべきであり、所論のように右決定があつた場合には、その公訴時効進行停止の効力は告訴人または告発人がこの審判を請求したときに遡つて生ずると解すべき特別の規定もなく正当の理由もない」(最決昭三三・五・二七刑集一二・八・一六六五)。
と判示している。

(二)　訴因の変更と時効の停止　訴因の変更があつても公訴事項の同一性を害しないかぎり、時効は起訴の時に停止されるとするのが判例である。すなわち最高裁判所は、

【89】「所論は畢竟本件は頭初詐欺罪として公訴の提起がなされたが、その後昭和二七年三月二四日検察官から訴因並びに罰条を横領罪に変更する旨の請求があり、裁判所はこれを許可して審理判決したが本件犯罪行為は昭和二二年三月一八日に終つたのであるから、右訴因罰条の変更のあつた昭和二七年三月二四日には既に横領罪としての五年の時効期間が経過し本件犯罪に対する公訴時効は完成したことを主張するに帰する。しかしながら前記訴因罰条の変更によつて起訴状記載の公訴事実の同一性に何等消長を来すことのない本件においては、本件起訴の時を基準として公訴時効完成の有無を判断すべきであつて所論の如く訴因罰条の変更の時を基準とすべきでないと解するのが相当である」(最決昭二九・七・一四刑集八・七・一一〇〇)。

とし、同趣旨のものに高松高判昭二九・二・一二(刑集七・四・五一七特三六・二九一―訴因の補正追完の場合に関するもの)がある。

(三)　時効停止の共犯者に対する効力　刑法二五四条二項に関する問題であるが、次の二判例を挙げておく。

(1)　共犯者に対する起訴に対し無罪の判決があつた場合　福岡高裁宮崎支部の判決がある。事案は、船長、機関長及び甲板員の三名が共謀の上砂糖の密輸入と関税の逋脱を図つたという事実(犯行終了昭和二四

年一〇月九日・時効期間五年）につき、当時船長は逃亡して所在不明であつたため、他の二名のみ起訴され（昭和二五年一一月一六日）、裁判所はこの両名の行為について期待可能性がないということで無罪の言渡をなし、その判決が確定したが（昭和二六年二月二九日）、その後右船長に対し起訴（昭和三〇年八月一九日）があつた場合に関するものである。判示は、

【90】「刑事訴訟法二六五条第一、二項によれば公訴の提起は検察官が起訴状で指定した被告人以外の者にその効力を及ぼさないのであり事件はその指定された被告人及び公訴犯罪事実とによつて特定されるのであるに拘らず同法第二五四条第二項が共犯の一人に対してした公訴提起による時効の停止は他の共犯者に対してもその効力を有する旨を規定し同法二三八条第一項（告訴の不可分）と同旨の規定を設けた所以のものは公訴時効の制度の本旨が単に時間の経過によつて生じた事実上の状態を尊重することによる犯人の生活の安定を保障するという点にあるのではなく犯罪によつて蒙る社会的損失が時間の経過によつて不問に附せられるという点にあるので犯人と指向された人を基礎とするものではなく客観的な事実上の状態を基礎としている点から生じた結果に外ならないのである。従つて検察官が起訴状において共犯の一人として指定して起訴した被告人が仮りに審判の結果無罪となつたとしてもそれが検察官の特定した公訴犯罪事実が客観的に存在しないことが明白であるというような場合は論外とするも、一応客観的に存在視さるる該犯罪につき当該被告人の所為はその客観的構成要件をも充足しておらず全然無関係という理由であるならば格別そうでなく単に諸犯罪の責任条件を欠如するというに止まるときは当該被告人に対してした公訴提起は他の共犯者に対する関係においても時効停止の効力を生ずるものといわなければならぬ」（福岡高宮崎支判昭三〇・四・四刑集九・六・五五九高裁特報三・七・三四四裁時二〇六・八一）。

として、免訴の一審判決を破棄している。

(2)　起訴が単独犯としてなされた場合　この場合につき、

【91】「公訴の提起は当該事件については検察官が明示したと否とに拘らずその事件全体について公訴の効力が及ぶけれども、その指定した被告人以外には及ばないのであるが（同法二四九条）、共犯の一人に対し

てなした公訴提起による時効停止の効力は他の共犯に及ぶ（同法二五四条二項）。これは公訴時効制度が人を基礎とするものではなく、事実を基礎とする点より生ずる結果である。従って、公訴時効は犯罪事実を対象とし、犯人を対象とするものではないから、一定の犯罪事実が明らかになっている以上は、検察官においてその主観的判断としては共犯があるかどうか判らず、単独犯として公訴提起したとしても、共犯が客観的事実として存在する限り、時効の対象たる事実の関係では、共犯の一人に対してした公訴提起というに妨げないものというべきであり、その時効停止の効力は他の共犯に及ぶわけである」（仙台高判昭三四・二・二四刑集九・六・五五九）。

がある。

（四）　時効中断を認めた他の法律の規定の効力　　いうまでもなく、現行刑訴は時効中断の制度を認めていないが、他の法令において中断の規定を置くものがあり、特に刑訴二五四条との関係上、その効力如何の問題を生じたが、高松高判昭二八・四・二七（刑集六・四・五二一）、名古屋高判昭三三・一〇・一六（時報一七一・三三）はともにこれを有効とした。いずれも国税犯則取締法一五条に関するものである。

なお、ついでながら、刑訴施行法二条、三条の二により、公訴の時期、その中断等について、旧刑訴二八一条、二八五条等の規定を適用すべき事件において、上告審において公訴時効が完成した場合、右施行法二条、三条の二、刑訴四一一条五号を準用し、前判決を破棄し、旧刑訴四四八条、四五五条、三六三条四号により被告人を免訴すべきものとする判例がある（最判昭三五・六・九刑集一四・七・九五三）。

六　免訴判決に対する不服申立、その他

一　免訴判決に対する不服申立

免訴判決に対する不服の申立については、既に、免訴判決の本質についての項においてこれに附随してふれたところであるが、ここにあらためて、この問題につき判例の態度を検討して置きたい。

免訴判決に対する不服申立は更に、免訴判決に対して無罪を主張してなす不服申立と、これと反対に、有罪を主張してなす不服申立とがある。

（一）　免訴判決に対して無罪を主張して上訴することが許されないとされていることについては、既出の最高裁の判例【1】【2】及び【3】において見たとおりであり、いずれも大赦に関するものであるが、判例【6】として掲げた福岡高裁宮崎支部の判決もまた『免訴の判決においては、公訴事実を掲げ、免訴の理由を説示するに止まり、罪となるべき事実を認定すべきものではなく、原判決も亦これとその軌を一にするものであるから、これに対して事実誤認を理由として上訴をなすことは許されない』としている。

そこで、まず右判例【1】が大赦を理由とする免訴判決に対しては、被告人から無罪を主張して上訴することが違法であるとする理由を検討してみなければならない。この判例における多数意見として表示されたところによると、大赦の場合には、裁判所としては免訴の判決をする一途であり、被告人の側でも、無罪を主張して、実体の審理を要求することはできないのであるから、原審がした免訴の判決に対して無罪を主張して上訴することもまた違法であるといわなければならない、と判示した。すなわち、これによると、大赦があると裁判所の実体審理は法律上不可能となり、被告人の側においても実体的審理を要求することが許されないということが上訴を許さないことの理由とされている。

ところが、井上裁判官は、右の理由に附加して、大赦によつて被告人は完全にいわゆる晴天白日の身となるのであつて、ある意味においては証拠不充分の理由で無罪の判決を受けるよりは、却つていいかも知れない、この意味で被告人は無罪の判決を受けるために上訴することができないとしてもあまり不利益はないであろう、と述べ、また斎藤裁判官は、「無罪判決は免訴判決よりも被告人にとつて利益がないとはいえないが、現行刑訴上免訴判決に対し被告人から上訴することは許さない趣旨と解さなければならない。蓋し、免訴判決に対し上訴を許すべきか否かについては立法以前から議論の存したところであつたにかかわらず、刑訴三六九条(旧刑訴―筆者註)は「有罪ノ判決ヲ告知スル場合ニハ被告人ニ対シ上訴期間及上訴申立書ヲ差出スヘキ裁判所ヲ告知スヘシ」とのみ規定して、免訴判決を告知する場合に同様の規定を設けなかつたからである」とされている。

このように本件において、上訴を許さない理由として述べられているところは右の三点であるが、私は、右の内のいずれを理由とするかによつて、その結果に相当の相違がでて来るのではないかと思うのである。

まず、多数意見にいわれているように、大赦があると裁判所は実体的審理をすることができなくなり、免訴判決をする一途であり、被告人の側でも無罪を主張して実体の審理をすることができなくなる、ということを上訴不許の理由とするならば、同様なことは検察官についても云える筈であつて、免訴判決に対し、検察官が有罪たることを主張して上訴することは、仮令それが後述判例【92】のように合憲であるとしても(すなわち憲法三九条に違反しないとしても)、被告人の上訴についてと全く同じ理由すなわち裁判所が実体審理ができなくなるという理由によつて許されなくなるものといわなければなるまい。

また、右の理由によるのであれば、免訴事由たる大赦自体に関する誤判を理由とする上訴例えば大赦令がないのに大赦ありとして免訴したとか、訴因たる犯罪事実及び罪名が大赦のあつた罪にあたらないのに免訴したとかを理由とする上訴は、検察からの上訴は勿論被告人の側からの上訴もまた許されるものとしなければなるまい。なんとなれば、実体審理が許されないことは、当の罪につき大赦があるからであつて、その大赦があつたとしたことが誤りであれば、実体審理をしないこともまた誤りであるからである。

ところが、若し免訴の判決は、被告人にとつて、無罪判決と同様に、あるいはそれ以上に利益であるからということを理由とするのであれば、無罪判決に対し被告人から上訴することができない(この点については判例は一致している)のと同様に、免訴判決に対しても被告人から上訴することはできないが、しかし反対に検察官の側からは上訴できるということになるであろう。

また更にこの理由によるのであれば、免訴事由たる大赦の有無自体についての誤判によつて免訴の判決をした場合にも被告人からは上訴できないという結果になるであろう。

このようにして、その何れを理由とするかによつて結果的に可成の相違がでて来ると思われるが、なお、その免訴の裁判の本質に関する見解との関係についてみると、実体的審理を許さないからという理由によるのであれば、これは形式裁判説の上にのみ肯定されるところであるが、免訴は被告人に不利益でないという理由によるのであれば、実体裁判説をとつてもなお被告人の側からの上訴を許さないという結論をとることも可能であろう。

私としては既に述べたような意味において免訴の判決は形式裁判であると考えるのであり、また免訴判決に対しては原則として上訴を許さないものと考えるのであるが、その理由は、裁判所が適法に免訴事由ありと考えて免訴の判決をした以上は、これに対し事実の誤認を理由に無罪または有罪を主張して上訴することは、免訴制度の目的に反すると考えるからであつて、免訴判決が被告人にとつて無罪判決と同じく利益であるからというのではない。

したがつて、上訴を許さないことは、被告人のみならず検察官についても同様であり、また許されないのは、訴因として掲げられた事実または裁判所が心証を得たとしている事実が実は存在しないということを理由として無罪を主張してなす被告人の上訴、裁判所が心証を得たとする事実が誤りであり、訴因としている事実が真実であるとして有罪を主張する検察官の上訴のみであつて、免訴の判決が適法になされていない場合、例えば免訴事由そのものの有無の判断を誤つている場合、適法に想定しまたは認定した事実に対する刑罰法令の適用を誤つたため、無罪または有罪とすべきところを免訴した場合には、被告人や検察官から上訴することが許されるものとするのが正しいと思う。したがつていかなる場合にも被告人から上訴することができないとすることも、反対に検察官からは常に上訴することができるとすることも、ともに失当である、と考えるものである。

なお、上記の、旧刑訴三六九条を根拠とされる斎藤裁判官の意見は、旧刑訴の下においてはともかく、現行刑訴においては、これに相当する規定を刑事訴訟規則に譲つているので（同二一〇条）、積極的な根拠とすることは困難であろうし、またこの規則の規定があるからといつて、免訴判決に対しては、絶体に被告人から上訴できないとする根拠にもなるまいと思う。

(二)　免訴判決に対して有罪を主張して検察官から上訴することが違憲かどうかについては、既に(一)において触れるところがあつたが、最高裁の判例はこれを合憲とする。

【92】「下級審の無罪又は有罪判決に対し検察官が上訴をなし有罪又はより重い刑の判決を求めることは、憲法三九条に違反しないこと、当裁判所の大法廷の判示するところである(昭和二四年新(れ)第二二号同二五年九月二七日大法廷判決)。されば、本件の場合における如く被告人に対し免訴の言渡された判決につき検察官が上訴を申立てることは、憲法の右条規に違反するものでないこと右大法廷判決の趣旨に徴し明白であるから論旨は理由がない」(最判昭二六・一〇・二三刑集五・一一・二二八一)。

右事案は、被告人が法定の除外事由がないのに連合国占領軍将兵又は連合国占領軍に附属し若しくは随伴する者の財産を所持したという事実について、第二審裁判所が免訴の判決をなし、これに対し検事が上告、上告審は上告申立を理由ありとして原判決を破棄し事件を原裁判所に差戻し、差戻後の控訴審が有罪の言渡をした場合である。すなわち、この差戻後の控訴審の有罪の判決に対し、弁護人より上告があり(その理由は一度免訴の判決があつた以上は被告人にとつて最後的決定的なもので、これに対して検事の上訴を許すことは憲法三九条に違反するものであるから、差戻前の検事上告は無効であり、この弁護人の主張を漫然排斥して有罪の言渡をした原判決は破棄さるべきものであるというのであるが)、この上告に対する判決が本件判決である。判例中引用されている大法廷の判決は、刑集四巻九号一八〇五頁掲載のもので、罰金刑を言渡した第一審の有罪判決に対し刑の量定が軽きに失するとして検察官が控訴し、控訴審が禁錮刑を言渡したことに対する上告に関するものである。

右に見たようにこの判例においては、憲法違反か否かの点のみが問題とされており、またその限りにおいて正当であると思うが、免訴判決に対する検察官の上訴一般につき、訴訟法上それが許されるかどうかについては、前記(二)において述べたことを注意する必要がある。

二　その他

(一)　免訴事由を看過した略式命令が確定した場合　この場合につき最高裁は非常上告による略式命令の破棄を認めている。

【93】「前記略式命令にかかる無謀操縦の公訴事実は、既に有罪の確定判決を経た前記玉名簡易裁判所の無謀操縦の公訴事実と一罪の関係にあるものというべく、従って右熊本簡易裁判所の略式命令は、既に有罪の確定判決を経た犯罪事実につき重ねて裁判したことに帰し、刑訴三三七条一号に違反し、この違法は、被告人のため不利益であるものといわなければならない。よって刑訴四五八条一号により前記略式命令を破棄して更に判決をすることとし、同三三七条一号に則り右略式命令にかかる公訴事実につき被告人を免訴すべきものとし、裁判官全員一致の意見で主文の通り判決する」(最判昭三一・一二・二九刑集一〇・一二・一五七〇)。

事案は、被告人が「法令に定められた運転の資格を持たないで且つ酒に酔い正常な運転が出来ない虞れがあるに拘らず、昭和三〇年五月一九日午後一時頃玉名市滑石より熊六―一〇二八〇号自動三輪車を運転して無謀操縦をなし玉名市高瀬町内を乗り廻し云々」の事実その他の公訴事実につき玉名簡易裁判所で有罪判決を受け、それが同年八月三日確定した後、翌三一年二月二八日に、「法令に定められた運転の資格を持たないで昭和三〇年五月一九日午後一時四〇分頃玉名市寺町道路において三津家所有の自動三輪車を運転して無謀操縦をしたものである」という公訴事実につき、熊本簡易裁判所で略式命令を受け、同年三月二四日該略式命令も確定したことに関するものであり、検事総長の非常上告に対してなされた判決である。

(二)　有罪判決確定後、大赦があつた場合　この場合、有罪の確定判決を受けた者の再審の申立は許されないとする東京高裁の次の決定がある。

【94】「抗告人に対する前記有罪の確定判決(戦時刑事特別法七条の四国政変乱宣伝罪による有罪判決—筆者註)は大正元年勅令第二十三号恩赦令第三条第一号昭和二十年勅令第五百七十九号大赦令第一条第五号により昭和二十年十月十七日以後その効力を失いこれにより抗告人は青天白日の身となつたものであるから抗告人がこれに対し無罪を主張して再審を請求することは許されないものと解すべきである」(東京高決昭二七・四・二四特二九・一四八)。

この判例については、大赦の項三において触れておいたところである。

(三)　免訴の判決と刑事補償　刑事補償法(昭和二五年法律一号)は、その一条において、刑事訴訟法による通常手続又は再審若しくは非常上告の手続において無罪の裁判を受けた者が同法、少年法又は経済調査庁法によつて未決の抑留又は拘禁を受けた場合には、国に対して、抑留又は拘禁による補償を請求し得る旨を定め、また同法の二五条は、「刑事訴訟法の規定による免訴又は公訴棄却の裁判を受けた者は、もし免訴又は公訴棄却の裁判をすべき事由がなかつたならば無罪の裁判を受けるべきものと認められる充分な事由があるときは、国に対して、抑留若しくは拘禁による補償又は刑の執行若しくは拘置による補償を請求することができる」と規定しているが、これに関連して次の判例がある。

【95】「憲法四〇条は、何人も、抑留又は拘禁された後、無罪の裁判を受けたときは、法律の定めるところにより、国にその補償を求めることができると規定し、また刑事補償法一条が刑事補償を受くべき場合を無罪の裁判を受けた場合に限定したものであることは、同条と同法二五条とを対比することによつて明らかである。しかるに所論大法廷判決は、（中略）本件を犯罪後の法令により刑の廃止された場合に当るとして免訴の言渡をしたのであつて、これをもつて所論のごとく本来の無罪的な免訴の裁判をしたものでないことは判文上明白である。従つて憲法四〇条、刑事補償法一条による補償の請求はその前提を欠きこれを容認できない。また本件をもつて同法二五条にあたる場合であるとの所論も前記最高裁判所の免訴の理由に照し首肯することを得ず、その他本件において、免訴の裁判をなすべき事由がなかつたならば無罪の裁判を受くべきものと認められる充分な事由のあることを認めることはできない」（最決昭三五・六・二三刑集一四・八・一〇七一）。

〔追補〕　本稿完了の後、両罰規定の時効期間に関する最高裁大法廷の判決が出た。事案は取引高税法違反に関するもので、多数意見は次のごとく判示した上、被告会社に対する公訴時効期間は違反行為をした従業者につき定められた法定刑によるべきものとした原審（東京高裁）及び第一審の判決を破棄し、免訴の言渡をしている。

【96】「右被告会社に適用された取引高税法四八条一項の規定の趣旨は、法人の代表者または法人もしくは人の代理人、使用人その他の従業者が、その法人または人の業務または財産に関して、同法四一条ないし四四条の違反行為をしたときは、その行為者を罰するほか、事業主たる法人または人に対して、各本条の罰金刑を科する旨を定めたいわゆる両罰規定であつて、事業主たる法人または人に対しては、右四八条一項の規定が根拠となつて前記四一条ないし四四条の規定のうち罰金刑に関する部分が適用されることとなるものであることは、右四八条一項の明文により明らかである。すなわち、事業主たる法人または人は、右四八条一項により行為者の刑事責任とは別個の刑事責任を負うものとされ、その法定刑は罰金刑とされているので

ある。しからば、これに対する公訴の時効については、刑訴二五〇条五号により時効期間は三年であり、その起算点は、同法二五三条一項により、取引高税法四八条一項にいわゆる同法四一条ないし四四条の違反行為が終つた時と解するのが正当であるといわなければならない。そしてこのことは、右両罰規定によつて罰金刑を科せられたる事業主たる法人または人の責任が行為者本人の責任に随伴するものであるからといつて、また右両罰規定における行為者の責任と事業主たる法人または人の責任とは、ともに行為者の違反行為という一個の原因に基づく両様の効果であり、しかも右法人または人と行為者とは、事業主とその従業者という一体の関係に立つものであるからといつて、その理を異にすべきものではない。一個の違反行為を原因とする二つの刑事上の責任のうち、行為者に対しては懲役または罰金の刑を科し、事業主たる法人または人に対しては罰金刑を科するものとされている場合にあつては、公訴の時効につき、行為者に科すべき刑により時効期間を定める旨の特別の規定が設けられていれば格別、しからざる以上は、事業主たる法人または人に対する公訴の時効は、これに対する法定刑たる罰金刑につき定められた刑訴二五〇条五号の規定によるほかはない。また、そのように解することが、憲法の採用した罪刑法定主義の要請にも適合する所以である」（最判昭三五・一二・二一判時二四七・四）。

右の多数意見に対して、斎藤、池田、高橋三裁判官は、公訴時効の期間につき、㈠刑法により刑を加重しまたは減軽すべき場合には、加重しまたは減軽しない刑を基準とし、㈡共犯については、すべて正犯の刑を基準とすると共に、最終の行為が終つた時からすべての共犯に対し時効の期間を起算するものとし、共犯の一人に対してした公訴提起による時効の停止は、他の共犯に対してその効力を有するものと定めている等の点から見て、刑訴法は、個々の罪については、行為者の一身的ないし主観的事由により刑の加重または減軽をなすべき場合であつても、それらの事由の存否にかかわりないものとして公訴時効の期間の画一を期し、また、共犯については、事件を単位として事件関与者につき公訴時効の期間の統一を期していることが明らかである。そして、刑訴法の右の趣旨は、本件の適用法令たる取引高税法罰則のいわゆる両罰規定の場合にも妥当する。すなわち、事業主は従業者と別個の刑事責任を負うが、事業主の責任は従業者の責任を原因とし、これに随伴するものであり、事件単位としては共犯の場合と同視すべきであり、また事業主に対する罰金刑は従業者の違反行為に対する制裁を補充する性質を有し、事業主に対し従業者に対する各本条所定の罰金を科し、税法所定の目的を達しようとするにある、として原判決を支持し、石坂裁判官は、右最後の点を保留しつつ右見解に賛同し、又高木裁判官は事業主の刑事責任は、行為者本人の刑事責任に当然随伴すべきものであり、本件のように行為者の責任が存続する場合においては、事業主もまたその処罰を免れないものといわなければならない、とし同様原判決を支持している。私としては、少数説の結論が正しいと思う。

高等裁判所判例

判　例　索　引

大審院判例

最高裁判所判例

著者紹介

宮崎澄夫（みやざきすみお） 慶応大学教授

総合判例研究叢書　刑事訴訟法 (8)

昭和36年2月15日　初版第1刷印刷
昭和36年2月20日　初版第1刷発行

著作者　宮崎澄夫
発行者　江草四郎
印刷者　田中忠

東京都千代田区神田神保町2ノ17
発行所　株式会社　有斐閣
電話九段(331) 0323・0344
振替口座東京370番

印刷・大日本法令印刷株式会社　製本・大宝製本株式会社

総合判例研究叢書 刑事訴訟法(8)
(オンデマンド版)

2013年2月15日 発行

著 者 宮崎 澄夫
発行者 江草 貞治
発行所 株式会社 有斐閣
〒101-0051 東京都千代田区神田神保町2-17
TEL 03(3264)1314(編集) 03(3265)6811(営業)
URL http://www.yuhikaku.co.jp/

印刷・製本 株式会社 デジタルパブリッシングサービス
URL http://www.d-pub.co.jp/

AG534

ISBN4-641-91060-X Printed in Japan